莲小兔

著绘

粗糙

AN EASY LIFE

食堂

中信出版集团 · 北京

图书在版编目（CIP）数据

粗糙食堂 / 莲小兔著绘 . -- 北京：中信出版社，
2018.1

ISBN 978-7-5086-2511-9

I.①粗…   II.①莲…   III.①食谱   IV.
① TS972.12

中国版本图书馆 CIP 数据核字（2017）246346 号

粗糙食堂

著　　绘：莲小兔
出版发行：中信出版集团股份有限公司
　　　　　（北京市朝阳区惠新东街甲 4 号富盛大厦 2 座　邮编　100029）
承　印　者：鸿博昊天科技有限公司

开　　本：880mm×1230mm　1/32　　　印　　张：5.75　　　字　　数：133 千字
版　　次：2018 年 1 月第 1 版　　　　印　　次：2018 年 1 月第 1 次印刷
广告经营许可证：京朝工商广字第 8087 号
书　　号：ISBN 978-7-5086-2511-9
定　　价：45.00 元

序　简单的美味不简陋

嗨！大家好！我是莲小兔。

一直以来，我都没有一个像样的厨房，但这并不影响我对美食的追求。以前租的房子没有单独的厨房，最早是在阳台做菜，后来在餐桌上做——做完菜把桌子整理干净再吃。今年6月，才终于换了一个有独立小厨房的房子。虽然我的做菜环境比较简陋，但是吃货不会为环境所困。而且，正是因为厨房环境的限制，我开始研究电饭煲系列，研究制作方法简便的料理，慢慢地累积，到现在有了这本书。

这些年来，我一直在成长。画画在进步，厨艺在进步，对菜谱的记录也越来越详细，各方面都在成长。可能因为我是"野路子"——因为贪吃而对厨房充满好奇，从小学开始就跟着电视节目自己随便做，或者跟着爸妈有样学样；是个爱实践，又不喜欢开口问的人，所以自己捣鼓的时间比较多。作为一个"野路子"，一个喜欢自己琢磨的人，我更理解厨房菜鸟，更懂得如何把自己学到的东西表达给厨房菜鸟。

这本书呢，主要围绕"懒"和"粗糙"。粗糙的画风，不粗糙的风味。懒人也能用简单的厨具、简单的方法做出美味。书里既有用简单的厨具做出的美味料理，也有用简单的食材做出的美味料理。嗯！简直太适合又懒又贪吃的你了！

出书一直以来都是我的愿望，感觉就像给自己的努力留下痕迹一样，特别美妙。我希望自己能坚持画下去，能出很多很多的书。

我觉得"吃"是饱含个性的一件事。每个人的口味都不一样，是有个性的。做料理也是很有个性的事情，每个人都可以按照自己的口味去改良一道道菜。

之前看电影《小森林》，我感触最深的是煮糖水栗子的片段：A把栗子用糖水煮软了以后分给大家吃，大家觉得好吃，便问了做法后回去做；B加了自己喜欢的酱油，C加了老公珍藏的红酒，D加了自己喜欢的白酒……大概是这样一个桥段。料理这件事，过程没有绝对的对错，也不是单一的，更不是复制。电影中的人物在糖水栗子这个简单的食物里增加了自己喜欢的风味，而这个片段，就是我对"料理"的理解——在制作的时候，注入自己的个性。

最后，希望这本"画风粗糙，风味不糙"的料理书，你们会喜欢。

目 录

第一章
电饭煲搞定一切

第二章
一只平底炒锅的简单料理

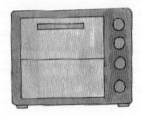

第三章
方盒子里的神奇魔法

2. 煮煮更健康

第四章
蒸和煮，原始的味道

1. 蒸的很美味

▲ 专题 4： 小奶锅

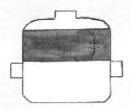

粗糙食堂，不粗糙的厨具

▲ 电饭煲

做饭做菜都是好帮手。上班族也好，宿舍党也好，刚毕业的小年轻，都可以用电饭煲来做饭，还能保温，特别方便！要告诉那些没办法买那么多厨具的朋友，电饭煲也是可以做菜的。
我用的是最简单的、只有一个煮饭键的电饭煲。

基础必备款

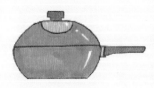

▲ 煎锅

平时用来煎饼啊，鸡翅啊，肉啊，牛排啊，鸡蛋啊，都可以，还可以用来烤吐司，一些小菜也可以用煎锅做。
我的煎锅是直径 24 厘米的，一般可以做 1~3 人份的量，够用。

提示：

不粘锅真的是年轻人的好帮手！我的煎锅和平底炒锅都是不粘锅。市面上还有铁锅、不锈钢锅等，但在使用的时候，不擅长料理的人非常容易粘锅。一定要把那些锅烧热透了再倒油，油倒入后要翻动锅，用油把整个锅润一遍，不然你会发现中间有油的位置不粘，边上还是会粘。所以年轻人，直接买不粘锅用吧！

▲ 平底炒锅

如果菜式很复杂，料多，或者带汤，就要用平底炒锅。也可以用来炸一些比较扁的东西，比如四季豆、虾、茄盒、藕盒、虾饼等，油只要没过食材的一半，半煎半炸，适时翻面，很省油。
我的平底炒锅也是直径 24 厘米的，有朋友来家里的时候，做 4~5 人份的量都没问题。太大的锅，平时炒 1~2 人份的菜时很容易烧焦。

▲ 奶锅

奶锅，顾名思义是用来煮奶的，但单纯用来煮奶太可惜了。煮奶茶能少得了它吗？给自己煮个面，碗都省了。简单煮个紫菜汤，整锅上桌，很方便。奶锅也建议买不粘的，炸东西特别省油，可以用来炸球状的、凹凸不平状的食物。

我的奶锅是直径 16 厘米的，炸的东西不多的话可以用它。

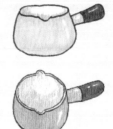

有条件的话，
还可以买……

▲ 汤锅

炖汤汤水水必不可少，家里要是人多，可以用来煮韩式部队锅，炖一些带汤的大菜，咖喱我也用它来煮。当然，如果有条件买电炖锅、紫砂锅、铸铁锅来炖食物，肯定更棒啦！

▲ 砂锅

导热快，散热慢，保温性能好，关火以后还能保持食物的沸腾状态。而且，砂锅内的温度是平衡的，能最大限度释放食材的美味，所以一些与砂锅有关的食谱，最好要用砂锅来做。

▲ 蒸锅

蒸锅在我的厨房使用的频率比较高，蒸菜是很美味的，而且粗粮我喜欢蒸，不喜欢水煮的。虽然热包子、馒头可以用微波炉，但是很容易热硬了。不嫌麻烦的，还是建议买蒸锅，还可以蒸饺子吃！如果家里请客，加两个蒸笼，可以一次性搞定两三个菜，非常方便！

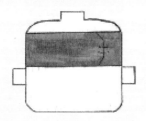

提示：微波炉＋烤箱，油炸食品隔夜也不怕！

微波炉和烤箱可以用来加热油炸食品，比如炸鸡：

①先用微波炉热1~2分钟，时间按鸡块的大小定。不确定的话可以1分钟、1分钟地热，鸡块小还可以30秒、30秒地热。热到表面温热后，就轮到烤箱上场了。

②烤箱一定要先预热，我一般设置到200℃，不然等温度够了，食物都干了。预热后把鸡块放进去，烤到表面都热了、烫了，一般要5~10分钟，根据食材的量调整。热了以后，不要马上吃，稍微放凉一下，就会变脆，像刚炸的一样！有魔法哦！所以我从来不担心油炸食品吃不完怎么办。

③也可以不用微波炉，只用烤箱。但有几个缺点：首先，加热时间很长，用微波炉先把肉中间热透了，比较节省时间；其次，单独用烤箱，有时候食物里面还没热透，外面却已经烤焦了，所以烤箱的温度要注意。如果热小份油炸食品，可以直接用烤箱！

④肯定有人会问：只用微波炉可以吗？不行，不行，不行！加热的原理不一样！用微波炉热油炸食品，即使里面热了，外面脆脆的皮也烂了。还可能会有人问：有烤箱功能的微波炉可以吗？我没那种微波炉，你可以自己试试看。

▲ 微波炉

可以用来煮饭、做菜、热食物。微波炉是利用微波使食物中的水分子振荡，从而达到加热效果，也就是由内往外加热。如果食物表面已经很热了，那就千万不要继续加热，不然食物中间部分会变硬。

有条件的话，还可以买……

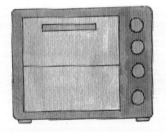

▲ 烤箱

可以用来烘焙、烤各种肉。烤箱是直接加热，食物外部先受热，由外部热到内部。

高颜值餐具，
粗糙食堂里的心情调味剂

▲ 汤碗

汤碗就是比平盘深，比碗浅的一种餐具。汤碗很好用，一个好看的汤碗不仅可以装汤菜，盛甜品零食也完全没问题。像图中碗内有花纹的更好用，装什么都好看。

▲ 猪口杯和马克杯

猪口杯和马克杯的杯口宽，清洗起来比窄口杯更方便。猪口杯还能用来做茶碗蒸。

▲ 小碟子

我有很多小碟子，有各种用途；比如当醋碟，又或者盛些特殊造型的食物。这些小碟子放在一起非常好看。

▲ 筷架

筷架本是用来防止筷子直接和桌面接触的，但现在各种各样的筷架早已超出它本来的实用意义，成了餐桌上的小风景。

第一章
电饭煲搞定一切

1~32

1. 简单美味，从电饭煲早餐开始

煎蛋和蛋饼

茶叶蛋

10分钟搞定的煎饼两吃（甜口）

10分钟搞定的煎饼两吃（咸口）

煎蛋和蛋饼

刷油

▲ 煎蛋

电饭煲锅底刷油（也可以不刷），打入一个鸡蛋（如果电饭煲很大就放两个，不然鸡蛋边缘容易糊），按下煮饭键，等它跳起来就做好了！

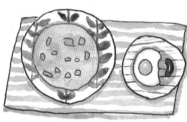

鲜酱油　鸡蛋　火腿　葱　鸡精

▲ 蛋饼

把左图中的材料混合均匀，倒入电饭煲，按下煮饭键，等它跳起来，蛋饼就做好了！

土豆泥煎饼

食材

土豆 400g
（1个大的或2个中、小的）
面粉　　　　1大勺
火腿肠　　　1根
盐、黑胡椒　适量

[本书单位]
1大勺 =15ml
1勺 =10ml
1小勺 =5ml
1茶匙 =5ml

1. 用电饭煲把土豆蒸熟，筷子能顺利插进去即可。

2. 取出去皮，压成泥。

3. 趁热加盐、黑胡椒和切丁的火腿。尝一下，如果咸淡合适，再加面粉，搅拌均匀。

4. 放凉，用手抓一球，在两手间抛来抛去，最后压成饼。

5. 电饭煲锅底加一点油，按下煮饭键，把土豆饼放进去，盖上盖子。翻面，待两面煎到金黄就可以了。

提示：电饭煲的内胆相当于不粘锅，不要用铁铲，会刮坏表面的涂层，用木铲就不用担心了。

茶叶蛋

食材

鸡蛋　　　　　10~20 个
（数量根据电饭煲大小定）

[A组]
茶叶　　　　　　10g
（根据煮的量增减）
八角　　　　　　2 个
香叶　　　　　　2 片
桂皮　　　　　　1 根

[B组]
生抽　　　　　　3 勺
老抽　　　　　　2 勺
糖　　　　　　　1 勺
盐　　　　　　　适量

提示

茶叶部分，很多人用铁观音，我个人喜欢用红茶，我妈给我做的茶叶蛋特别好吃，就是用的普通的红茶叶。调味料的量也按你自己的口味调整，这里的用量比我平时吃的咸一些。

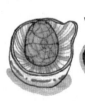

1. 电饭煲里加水没过鸡蛋，加一点点盐，盖上盖子，按下煮饭键。水烧开之后再煮5分钟。

2. 把煮好的鸡蛋用冷水过一下，捞出，把蛋壳敲出裂缝，这样更入味。

3. 把带裂缝的鸡蛋放回电饭煲，加入 A 组（可以把材料用纱布包起来）和 B 组，盖上盖子，按下煮饭键。

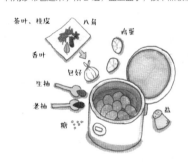

4. 等煮饭键弹起，拔掉插头，自然放凉。一定要让茶叶蛋再浸泡一晚，这样才会入味。天气热的话，自然放凉后再放冰箱冷藏存储。（如果用一般汤锅，水开后还要用小火煮 30 分钟以上，同样要浸泡一晚。）

提示：入味以后要捞出来存放，不然会越来越咸，最后变成"咸蛋"！

10分钟搞定的煎饼两吃

1. 面粉里加糖，加温水。搅匀，再加蛋液，搅至没有明显的粉块。

糖
鸡蛋
温水
面粉

2. 在电饭煲锅底刷一点油，再倒入搅拌好的面糊。

倒入
刷油
内胆

3. 在面糊上摆好香蕉片，撒一点黑芝麻。按下煮饭键，就可以去忙自己的事了。等待开餐吧！

芝麻
香蕉
煮饭

食材

鸡蛋	1个
中筋面粉	1勺
温水	1勺
糖	半勺
香蕉	1根
黑芝麻	若干
植物油	1/4勺

注

本食谱源于 @ 晚安的棉花城的配方。

甜

鸡蛋

盐

面粉

温水

1. 面粉加盐，加温水，先搅匀，再加蛋液，搅至没有明显的粉块。

倒入

刷油

2. 在电饭煲锅底刷一点儿油，再倒入搅拌好的面糊。

咸

3. 在面糊上撒葱花，撒一点白芝麻。按下煮饭键，就可以去忙自己的事了。

芝麻

葱花

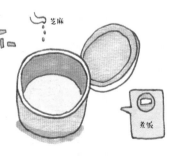

煮饭

食材

鸡蛋	1个
中筋面粉	1勺
温水	1勺
葱	若干
白芝麻	若干
盐	少许
植物油	少许

2. 电饭煲也能煮出元气满满

红烧肉

蜜汁排骨

酒香牛肉

红烧肉

食材

五花肉	300g
鹌鹑蛋	若干
蒜	5 瓣
姜	5 片
小颗冰糖	5 颗
料酒	1 大勺
鲜酱油	3 勺

（或老抽 2 勺，生抽
1 勺）

[鉴于很多读者是"宿
舍党"，以下材料没有
可以不加，加了更香]

八角	1 个
香叶	1 片
桂皮	1 片
干辣椒	3 个

（喜欢吃辣的加，剪
开）

提示

若是"纯粹的"懒人，
把肉切了，直接执行
第 3 步就可以了。

1.五花肉切块，形状随意。将肉和鹌鹑蛋丢到锅里。按下煮饭键，水开后煮 2 分钟。（如果放鸡蛋，先捞出五花肉，蛋要再煮 5 分钟。）

五花肉　　鹌鹑蛋

2.五花肉捞出后马上用冷水冲，鹌鹑蛋去壳。

去壳

五花肉
鹌鹑蛋
香叶
桂皮
冰糖
蒜
八角
料酒
干辣椒
鲜酱油
姜片垫底

3.在锅底垫上生姜片，然后把所有材料都丢进去，加水，没过肉一个手指头。盖上盖子，按下煮饭键，再次跳起时，红烧肉就可以吃了。

4.煮的过程中记得搅拌几次。

蜜汁排骨

食材

排骨		250g
叉烧酱		3大勺
料酒		1大勺
鲜酱油		1大勺

1. 排骨切小段，加叉烧酱和料酒拌匀。切记排骨要裹满叉烧酱，不够就多加一些，腌制一夜！

2. 把腌制好的排骨丢进电饭煲里，盖上盖子！按下煮饭键！焖煮15分钟左右。

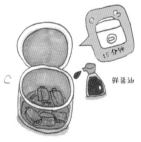

3. 打开盖子，倒入鲜酱油拌匀，把排骨都翻一个面，盖上盖子！按下煮饭键！再焖煮15分钟即可！

酒香牛肉

食材

牛腩	600g
竹笋	200g

[A组]

姜	5片
蒜	6瓣
干辣椒	2个
葱	2根

[B组]

黄酒	400ml
水	200ml
盐	1茶匙
糖	1大勺

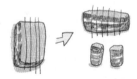

1. 牛腩先竖着切大块，再横着切成小块。看不懂示意图就随便切。

2. 浸泡、去血水。我一般会泡2个小时，中间要换水。你要是懒得泡，切完冲一冲马上煮，也没人会拦着你。

3. 竹笋洗净切块，把牛肉块、竹笋块和A组食材放进容器里，加入B组稍微搅拌均匀。

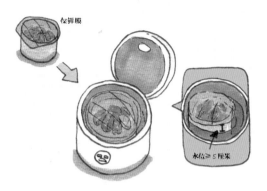

保鲜膜

水位≥5厘米

4. 用保鲜膜盖紧容器（我会用那种不锈钢大圆筒形状的盆子），放进电饭煲隔水炖。注意水不要没过碗，离碗口至少要有5厘米的距离。盖上盖子，按下煮饭键，直至煮饭键弹起即可。

提示：牛腩多泡多换水，也可以用热水焯一下。如果有电炖锅，可以直接炖。根据不同用量，炖的时间要40分钟到1小时。自己注意调整时间，要是觉得时间太短，可以加水再炖。不喜欢那么多酒的可以少加酒，多加水。笋也可以用萝卜代替，一切看自己的喜好和需求随机应变。

玫瑰露豉油鸡

葱全放在肚子里

垫上姜片

3.把剩下的葱全放入鸡肚子，在电饭煲内壁涂上薄薄一层油，用姜片垫底，放入鸡，淋上剩下的酱汁（鸡的里外都要），按下煮饭键。

刷蜂蜜

4.煮饭键跳起后，再焖10分钟。然后先用锅里的汤料把整鸡刷一次，再在鸡的表面刷一层蜂蜜。再次按下煮饭键，跳闸后再焖5分钟就好了。

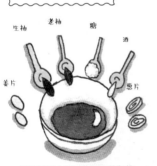

生抽 老抽 糖 酒

姜片   葱片

1.把调料混合拌匀（姜和葱各放3片）。

2.在鸡的里里外外认真抹上酱料，腌2个小时（越久越好）。

3. 煲出来的中式下午茶

牛轧糖

蜜红豆

牛轧糖

食材

棉花糖   80g
（香草味或原味）
花生碎或其他原味坚果、
干果碎   80g
黄油   30g
无糖奶粉   50g

提示

很多人喜欢吃蔓越莓干，可以根据自己的喜好加。无论是单独还是混合，都控制在80g以内就可以啦。

1.烤酥花生，有烤箱就用烤箱。温度设置为150℃，烤10分钟。把花生去皮，弄碎。

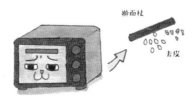

擀面杖

去皮

提示：没烤箱可用平底锅或者电饭煲炒花生，或者去买够脆的原味花生，这步都省了！有人用微波炉，但是我个人不敢保证效果。自由尝试吧！（不负责任地走开了）

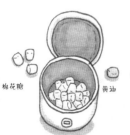

棉花糖   黄油

奶粉

干果碎

2.电饭煲里丢入黄油，按下煮饭键，等黄油稍微熔化了，再丢棉花糖。如果用普通的锅做，最好用不粘锅，全程小火，跟着步骤走就好了！

3.棉花糖溶化后，画圈圈诅咒式搅拌均匀，尽量排出棉花糖泥中的气泡，然后倒入奶粉搅匀。

4.倒入你喜欢的花生碎或任何原味坚果碎、干果碎，搅拌均匀！

5.趁热把拌匀的混合物倒入烤盘或乐扣乐扣保鲜盒之类的容器里，装之前先在容器里抹好黄油，用尽你的十八般武艺把这个牛轧糖的表面抹平整。

切糕！

6.冷却以后，就可以随便切了吃。

糖炒栗子

食材

板栗 300g 冰糖 120g

划十字

冰糖

植物油

1. 板栗洗净，每一个都用刀开个口。（我喜欢划十字！）

2. 把板栗倒入锅里，水加至和板栗齐平，然后滴2滴植物油，加120g冰糖（或者5汤勺白砂糖），喜欢甜可多加。把板栗搅拌一下，按下煮饭键。等煮饭键弹起来再焖5分钟，随后拌匀即可。

赵石脸

蜜红豆

食材

红豆　　　　300g
糖　　　　　150g

1. 红豆用冷水浸泡一夜（能泡 24 小时最好），天气热的时候就丢冰箱里泡。（这一步至关重要！）

2. 把浸泡好的红豆沥干，放进电饭煲，然后加入清水（水面高度超过红豆约 1 厘米，不要太多），按下煮饭键。

3. 煮饭键弹起之后，看下红豆是否熟了（能用手轻松碾成泥的程度就是熟了），如果没熟，继续加入清水没过红豆，再煮！

提示：红豆煮好后如果还有很多汤汁，就用漏勺过滤一下，过滤出来的红豆汤可以直接喝。

4. 红豆煮熟以后，倒入糖，用筷子轻轻拌匀，不要用勺子，会把红豆压烂！拌匀后盖上盖子再焖一会儿。自然放凉以后，放冰箱储存一夜，会更入味更好吃哦。

▲ 红豆奶油烤土司

煮好的红豆也可以拿来做红豆奶油烤吐司！

鲜奶油　　　　　蜜红豆

烤吐司

4. 疲惫的晚餐，交给电饭煲吧

三杯鱿鱼

照烧鸡排

啤酒鸡翅

盐焗鸡

食材

三黄鸡 1只
（大的话，可以做半只，一个人吃可以只用鸡腿）
盐焗鸡粉 1包
（鸡大的话，要2包）
香葱 5小根
姜 1块

盐焗粉

←内部也要

腌一夜

1. 把鸡洗净沥干（剁去头、脖子、鸡爪），均匀抹上盐焗鸡粉，里外都要。

2. 用保鲜袋包好，放冰箱腌制一夜，最少腌制1小时。

3. 做之前，把一部分葱塞到鸡肚子里。

4. 鸡肥的话，取一部分油垫在锅底，没有的话可以在锅底抹一点油，然后摆上姜片和葱段。

葱段
姜片
鸡油
↓

 按下
煮饭键

5. 垫好葱姜后，放入鸡，按下煮饭键，等煮饭键跳起来后焖5分钟。

 把鸡翻一面再按下煮饭键

6. 把鸡翻一个面，再按下煮饭键，等煮饭键跳起来后焖5分钟。用筷子插鸡腿，没血水流出来就是熟了，有血水出来的话，就再按一次煮饭键。一般做整鸡一共要按3次煮饭键（第二次的时候扎一下鸡腿看看情况，再决定是否要再按一次）。

三杯鱿鱼

眼睛 牙齿

去掉眼睛和牙齿

	A	B
撕掉表皮和头上触角的皮	切成圈状	
	C	D

1. 把鱿鱼清理干净，切成圈备用。

食材

鱿鱼	2只
(500~600g)	
蒜	10瓣
姜	8片
红辣椒	1个
麻油	2大勺
罗勒	1大把
（没有就算了）	

[A组]

糖	1大勺
酱油	1大勺
蚝油	1大勺
（有酱油膏最好）	
米酒	2大勺
（我有时候会用啤酒）	

2. 电饭锅里加麻油，放姜片和蒜瓣，按下煮饭键爆香，大概3分钟，要把蒜煎到微黄。

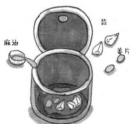

蒜
麻油
姜片

3. 蒜变黄后，下鱿鱼圈和A组，充分拌匀后，盖上盖子，继续煮10分钟。

鱿鱼圈
酱油膏或蚝油
米酒
糖
酱油

4. 起锅前，加入罗勒（可无）和红辣椒碎，搅拌均匀即可。

罗勒
辣椒碎

照烧鸡排

食材

鸡腿 　　　2个

[腌制材料]
清酒　　　　　2大勺
红糖　　　　　1大勺
日式酱油 　2大勺
水　　　　　　25ml
姜　　　　　　2片

[照烧汁]
味醂（甜料酒）　2勺
日式酱油　　　　2勺
清酒　　　　　　2勺
蜂蜜 　　　2勺

提示

日式酱油也可以用其他酱油替代，味道会稍有偏差，但是也很好吃。味醂可以用米酒加糖替代。蜂蜜只是增加风味，没有也可以用糖代替。

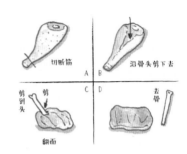

切断筋	沿骨头剪下去
A	B
C	D
剪到头　剪	去骨
翻面	

1. 鸡腿去骨。

清酒　红糖　姜片　水　日式酱油

2. 鸡腿肉用叉子叉几下，方便入味，加腌制材料搅匀后，腌制30分钟以上。

3. 把腌制好的鸡腿肉皮朝下，码在锅里，按下煮饭键。

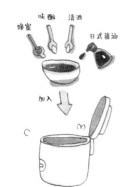

味醂　清酒
蜂蜜　　　日式酱油

加入

4. ① 煮至鸡肉完全变色后，翻面，倒入照烧汁，盖上盖子继续煮（如果跳闸了，就再次按下煮饭键）。

② 中间最好能翻 2 次面，煮到再跳闸就可以啦。注意：如果汤汁已经变得浓稠，鸡肉已经煮熟并裹满酱汁，还没跳闸，就自己关掉电饭煲，煮久了会烧焦。

提示：因为每款电饭煲的功能、火力不同，所以要根据具体情况随机应变。煮的时候会很香很香，你就会情不自禁打开来看看，然后翻个面！

▲ 煎锅版

4. 锅里加一点油，鸡皮向下，用小火一直煎，会出油，把鸡肉两面煎至金黄。

5. 把拌匀的照烧汁倒进去，转中小火收汁。要翻面，让两面都裹满汁。

▲ 烤箱版

4. 烤箱预热至 200℃，鸡皮向下，放上层，烤 5 分钟。（这时候，把照烧汁倒进锅里小火煮至只有原来的一半。）

5. 把鸡腿涂满照烧酱，翻面让鸡皮向上继续烤，烤到鸡皮焦黄就可以了。吃的时候如果觉得酱汁不够，可以直接刷上去。

啤酒鸡翅

食材

鸡翅	10 个
啤酒	1 罐
大葱	小半根
蒜	2 瓣

[A 组]	
酱油	2 大勺
糖	1 大勺
八角	1 个
桂皮	1 小块
香叶	1 片
盐	适量
干辣椒	按喜好添加

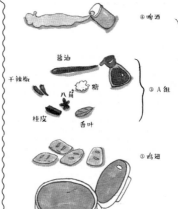

④啤酒
酱油
干辣椒
糖
八角
桂皮
香叶
③A组
②鸡翅
①垫底：葱、蒜

2. 在锅底垫上大葱片和蒜片，放上鸡翅，再放入A组调料，倒入啤酒至快没过鸡翅。

1. 鸡翅洗净、沥干，在表面划两刀。

3. 盖上盖子，按下煮饭键，煮开后将鸡翅翻面，整个过程中最好能翻2次。等煮饭键弹起即可。

提示：因为每款电饭煲的功能、火力不同，所以根据具体情况随机应变。煮的时候会很香很香，你就会情不自禁打开来看看，然后翻个面！

5. 煲一锅慵懒的周末

腊肠煲仔饭

黑椒肥牛炒乌冬

兔式咸饭

腊肠煲仔饭

食材

大米	100g
腊肠	2~3 根
鸡蛋	1 个
青菜	少许

[酱汁]

凉水	4 勺
鲜酱油	2 勺
老抽	1 勺
盐	1/4 茶匙
糖	1/2 茶匙

提示

没鲜酱油可以用生抽加点蚝油代替。素菜可以自由发挥，上海青啦，包菜啦，都可以放，看自己口味。放干香菇也很好吃，泡发切好后，和第一步的腊肠一起煮。

腊肠

1. 米洗干净，加水，比例1:1。然后把切好的腊肠码上去，盖上盖子，按下煮饭键。

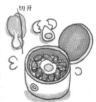

老抽
糖
鲜酱油
盐
凉水

2. 把酱汁的材料倒进锅里，小火烧开，然后先放在一边。

切开

3. 等煮饭键跳起来，打一个蛋进去，再码上青菜（用包菜的话，先切细丝），盖上盖子后，再按下煮饭键，跳闸后，焖8分钟。

4. 把调好的汁倒进锅里，拌匀。如果懒得煮酱汁，也是可以加凉开水拌匀啦！

酱汁

黑椒肥牛炒乌冬

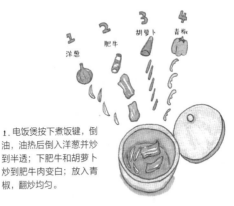

洋葱　肥牛　胡萝卜　青椒

食材

乌冬面	1包
肥牛卷	自己看
洋葱	1个
青椒	1/4个
胡萝卜	小半根
酱油	1小勺
黑胡椒酱	1大勺

1. 电饭煲按下煮饭键，倒油，油热后倒入洋葱并炒到半透；下肥牛和胡萝卜炒到肥牛肉变白；放入青椒，翻炒均匀。

乌冬提前泡5分钟

黑胡椒酱

酱油

2. 乌冬要提前泡5分钟（不用煮），捞起来丢锅里，和黑胡椒酱、酱油一起翻炒均匀即可。

提示：全程改锅炒也可以。

学生党在宿舍做饭

上班族做便当

兔式咸饭

食材

米	2 杯
干香菇	5 个
五花肉	250g
虾米	20g

[A组]

酱油	2 大勺
糖	1/2 茶匙
盐	1/2 茶匙

1. 干香菇泡水软化，切丝。虾米泡水软化，沥干备用。（泡香菇的水留着。）

2. 五花肉切薄片，炒锅里加一点点油把五花肉煎到出油，并且有点焦黄。再放香菇丝、虾米，不停地翻炒。

3. 加入A组和洗净沥干的大米，继续翻炒，炒均匀以后最好多翻炒几分钟，这样才会香！

4. 加入前面留下的香菇水，没有就直接用水。米和水的比例1:1。煮开以后，尝一下咸淡，再按自己口味调整、搅匀，然后全部倒入电饭煲。

5. 按下煮饭键，盖上盖子，等煮饭键弹起后再焖5分钟即可。

[专题 1：摆盘]

周末摆盘攻略

简单的美味不简陋，周末有时间的时候，花一点点心思摆盘，
餐桌顿时格调满满。

▲ 攻略一：配套餐具不能少

选择配套的餐具绝对是最简单的摆盘
方式。尤其像酒蒸蛤蜊这道菜，菜品
的颜色单调，但选择内有图案的汤碗
盛装，美丽指数顿时上升。

▲ 攻略二：配套餐布很重要

无论是条纹还是格子，只要是漂亮的餐布，都能让摆盘整体更有品质！考虑到清洗
的问题，还可以选择 PVC（聚氯乙烯）材质的餐布，用后简单清洗即可。

▲ 攻略三：各式木板是神器

木板托盘非常好用，不仅可以将餐具放在木板上，还可以直接摆放食物，增加餐桌上餐具的丰富性。大点的木板还可以同时当作托盘使用。

▲ 攻略四：终极秘籍——火锅

火锅，尤其是寿喜锅，绝对是周末大餐首选！当用各色蔬食把各种心爱的餐盘装得满满摆上桌的时候，一周的烦恼全部抛到九霄云外。叫上朋友，周末来顿寿喜锅吧！（电陶炉是增加桌面颜值的好帮手！）

第二章
一只平底炒锅的
简单料理

33~74

1. 炒锅当煎锅

黄金玉米烙

虾虾豆腐饼

韩式辣酱炸鸡翅

土豆丝饼

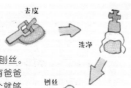

1. 土豆去皮，洗净刨丝。我用的土豆差不多有爸爸的一个拳头大，半个就够了。（如果爸爸的手太大，那就三分之一个吧。）

2. 培根切碎丁，葱也切碎丁，把所有材料（如图）都加到土豆丝里拌匀了！经验不足的，可以尝一下拌匀后的味道，判断咸淡。

食材

土豆	半个
培根或火腿	1片
香葱	1小根
鸡蛋	1个
盐	适量
研磨黑胡椒	适量
鸡精	半茶匙
（可不加）	

提示

盐的用量，我会尝一下搅拌好的食材味道再调整。加培根的话，盐要少放一点，因为培根会咸。黑胡椒我会加很多，真的很好吃！

3. 拌匀。

一中小火

一中小火

4.锅里加油烧热,把拌匀的材料倒进去,用铲子压平,尽可能把饼推薄,这样易熟。可以摊一整个大饼,也可以摊很多个小饼,自己斟酌。火不能大,不然煳了都没熟。

5.一面煎定型以后,差不多两分钟吧,再翻一面继续煎,把两面都慢慢煎金黄了,就基本熟了。火千万不要太大了啊!

6.切块。

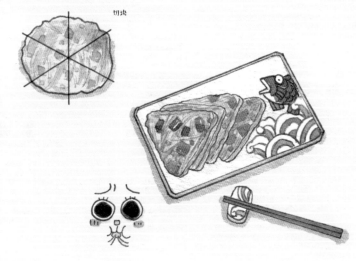

切块

黄金玉米烙

先用尖头的小水果刀从玉米顶端插入，插两三排玉米粒下来。

沿着边把剩下的切下来。

1. 玉米煮熟，取玉米粒。（也可以用冷冻的玉米粒或者甜玉米罐头。）

2. 切好的玉米粒用清水冲洗一下，沥掉多余的水，加入干淀粉和糯米粉搅匀，让玉米粒裹满淀粉。

3. 平底锅内倒油，油热后倒出，锅里留少许。把玉米粒倒进锅里铺平，小火煎至定型。

5. 出锅，撒上糖粉。

4. 定型后沿着锅边倒入剩下的油，油量要没过玉米饼，中火煎至表面焦脆即可。（有挑战精神的，最好翻面煎一下。）

虾虾豆腐饼

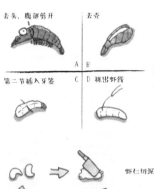

去头、腹部剪开　　去壳
A　B
第二节插入牙签　　C　D　挑出虾线

1. 鲜虾取虾仁：去头、去壳、去虾线。或者买现成的虾仁。

食材

卤水豆腐	200g
虾	250g
胡萝卜	半根
香葱	1根
鸡蛋	1个
面粉	2勺
米酒	1勺
盐	适量
白胡椒粉	适量

虾仁切泥

胡萝卜切丁

切葱花

加入　豆腐压碎
A

2. 虾仁切泥，胡萝卜去皮切丁，香葱切末，豆腐压碎，都放入一个碗里。

面粉　　盐　白胡椒粉　　米酒
鸡蛋　　　　　拌匀
A

3. 碗里再加入鸡蛋、白胡椒粉、米酒、面粉和盐一起搅匀成糊状。（面粉分次少量加入，保证面糊不会太稀即可。）

4. 油锅烧热，转小火，取适量面糊放入锅中，用锅铲按成饼状，煎至两面金黄即可。

提示：也可以做成豆腐丸子汤哦！烧开水后，用面糊挤出丸子丢下去，小火煮熟就好啦！

香蒜蜂蜜煎鸡胸肉

食材

鸡胸肉	1块
（200~250g）	
盐	适量
黑胡椒粉	适量

[A组]

蒜	2~3瓣
（切成很细的蒜蓉）	
蜂蜜	1大勺
橄榄油	4勺

注

本食谱源于 @ 鸡蛋花
蒋蒋鸡蛋花的配方。

提示：这道菜没有任何"如果"，橄榄油和蜂蜜一定要加。还有，不适合用烤箱做。

1.鸡胸肉不要选太大块的，太厚可以横着切成两片，在鸡胸肉两面撒上黑胡椒粉和盐，量就看自己口味和心情控制吧。可以给鸡肉按摩一下，腌制15分钟。

2.A组搅拌均匀，和鸡肉一起倒入保鲜袋，让酱料裹满肉，放冰箱冷藏一夜。

3.锅里倒入橄榄油，烧热，放入腌制好的鸡胸肉，腌制用酱料也倒入。盖上锅盖转小火慢煎。全程小火、盖锅盖，因为蜂蜜和蒜蓉容易烧糊。

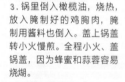

4.焖5分钟左右，翻个面，继续盖上盖子焖5分钟，全程差不多10分钟。当然，也要根据鸡肉的厚度调整时间！煎至表面金黄即可。

韩式辣酱炸鸡翅

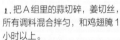

1. 把 A 组里的蒜切碎，姜切丝，所有调料混合拌匀，和鸡翅腌 1 小时以上。

2. 给湿润的鸡翅裹上淀粉。

3. 锅内热油，没过鸡翅。第一遍，中火炸 20 分钟，捞起。第二遍，中小火炸 15 分钟，捞起备用。

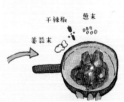

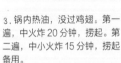

4. B 组拌匀，备用。

5. 锅内重新倒油，油热后下干辣椒、葱末、姜末、蒜末爆香，倒入 B 组，炒匀，再倒入鸡翅，让汁裹匀，最后撒上奶酪即可。

食材

食材	
鸡翅	10 个
淀粉、葱、姜、蒜、干辣椒	适量
[A组]	
蒜	3 瓣
酱油	2 勺
米酒	2 勺
胡椒	少许
[B组]	
韩式辣酱	4 勺
蜂蜜	1 勺
番茄酱	1 勺
酱油	3 勺
水	100ml

柠檬鸡翅

食材

鸡中翅	12 个
柠檬	1 个
蜂蜜	1 勺
盐	适量
糖	1 勺
酱油	2 勺
水	半碗

1. 拿出 1 个柠檬对半切开，再切 3 片备用（装饰用，不用也可以），剩下的挤汁。

2. 鸡翅两面划几刀，加盐和几滴柠檬汁，抓匀，腌制 1 小时。（非要问几滴的话，我就说 5 滴吧。）

3. 平底锅烧热后加少许油，下鸡翅，小火慢慢煎至两面微黄。鸡皮会出很多油，把煎出的油倒出来，不然会很油腻。

4. 加酱油翻炒均匀，再加水、糖和剩下的柠檬汁，煮开后中火加盖煮 5 分钟。煎的时候鸡翅就差不多熟了，再开盖翻炒均匀。

5. 加蜂蜜翻炒均匀。大火收汁，再翻炒均匀就可以啦。

提示：柠檬汁的用量还是要根据每个人的喜好来定，建议先加一半，尝了味道再决定是否继续加。

2. 炒锅当炖锅

番茄奶酪炖鸡肉

可乐糖醋排骨

沙茶排骨

番茄肉末盖浇面

懒人番茄炖牛腩

1. 牛腩先竖着切成大块，再切成小块。

2. 浸泡、去血水。我--般会泡2个小时，中间要换水。要是懒得泡，切完冲一冲马上煮，也没人会拦着你。

番腩

变身
番茄
洋葱

3. 番茄啊，洋葱啊，切块，随便切。记得洗干净。香葱打个结。上面这些步骤都是准备步骤，一次性就能搞定，我拿来凑个画面，不然一步就画完了。

姜片　酒
撒浮沫

4. 接下来快到放手的阶段了。锅里丢切好的牛腩、姜片，加入酒，水煮开后，把表面的浮沫撇干净（过程有点儿久），撇干净、撇干净、撇干净。

食材

牛腩	750g
（肉量可以减少）	
大番茄	3个
（不够大用4个）	
洋葱	半个
（不够大用1个）	

[辅料]

香葱	2根
姜	2片
八角	1个
香叶	1片

[调味]

酒	30g
（2大勺）	
酱油	50g
（3大勺）	
冰糖	25g
豆瓣酱	1勺

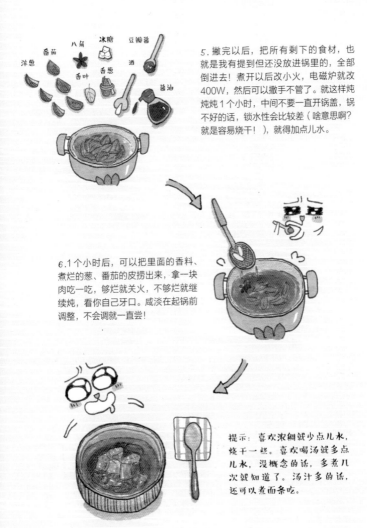

洋葱　番茄　八角　冰糖　豆瓣酱
香叶　香葱　酒
酱油

5.撒完以后，把所有剩下的食材，也就是我有提到但还没放进锅里的，全部倒进去！煮开以后改小火，电磁炉就改400W，然后可以撒手不管了。就这样炖炖炖1个小时，中间不要一直开锅盖，锅不好的话，锁水性会比较差（啥意思啊？就是容易烧干！），就得加点儿水。

6.1个小时后，可以把里面的香料、煮烂的葱、番茄的皮捞出来，拿一块肉吃一吃，够烂就关火，不够烂就继续炖，看你自己牙口。咸淡在起锅前调整，不会调就一直尝！

提示：喜欢浓稠就少点儿水，烧干一些。喜欢喝汤就多点儿水，没概念的话，多煮几次就知道了。汤汁多的话，还可以煮面条吃。

番茄奶酪炖鸡肉

食材

鸡腿	3 个
大番茄	1 个
番茄酱	1 小勺
奶酪粉	1 大勺
马苏里拉奶酪	1 大把
盐	适量
香草碎	适量

注

本食谱源于日本美食平台
Delish Kitchen 的配方。

1. 鸡腿去骨（方法见 P24），肉切块，撒适量盐抓腌 30 分钟。

2. 番茄去皮，切小丁。

3. 锅烧热，鸡腿肉皮向下放入锅内，小火煎出油后，将鸡肉表面都煎到变色，盛出备用。

4. 番茄丁直接加入煎鸡肉的锅里，锅里有鸡油，把丁丁炒软后，加 1 大勺水、盐、番茄酱，煮开后放入煎好的鸡块，中小火加盖炖 10~15 分钟。

5. 等汤汁炖得浓稠后，加入奶酪粉和奶酪碎，翻炒至奶酪熔化即可。起锅后我会撒点香草碎。

懒人咖喱鸡

食材

鸡腿	1个
土豆	1个
胡萝卜	半根
洋葱	半颗
咖喱块	半盒

1.各种食材切块，鸡腿去骨（方法见P24），肉切块，也可以不去骨直接切。

洋葱　　　鸡腿肉

2.锅里油烧热，炒香洋葱后，再加鸡肉炒至小麦色。

便当

胡萝卜　　　牛奶　水 或 mild

土豆

3.加入土豆、胡萝卜翻炒一会儿，再加水或牛奶没过食材，中火煮到土豆快熟（10分钟左右，视土豆切的大小而定）。

提示：用牛奶代替水，煮了更香浓，用椰汁也不赖！

咖喱腹肌

咖喱块

4.小火，丢咖喱块入锅，搅拌溶化后，小火煮8分钟（多搅拌）。

话梅排骨

提示：关于话梅，大部分人都使用九制话梅，也有很多人用别的梅子，市面上都叫梅子但长得不一样的真的好多，我都是认梅子"本人"不认名字，认名字要哭。

食材

排骨	500g
九制话梅	12颗
冰糖	10g
葱	1根
姜	1小块
酱油	1勺
盐	1/2 茶匙
陈醋	1小勺
料酒	1小勺

话梅泡水

1. 话梅加1小碗开水先泡着。

姜　切片

葱　切段

2. 葱切段，姜切片。

排骨

3. 排骨洗净切段，下锅焯水，捞出备用。

4.炒锅倒油烧热，丢冰糖烧成棕红色后，下排骨翻炒均匀。（懒得炒糖色的可以省掉这步，直接丢排骨炒。）

5.炒完糖色，放入葱段、姜片、酱油、料酒、陈醋，翻炒均匀。

6.话梅连水一起倒入锅内，再继续加水到淹没排骨，煮开后尝一下味道，改小火炖30分钟。尝一下汤味，根据自己的口味加盐，用醋、糖调整酸甜度，搅匀后，大火收汁就可以啦。

可乐糖醋排骨

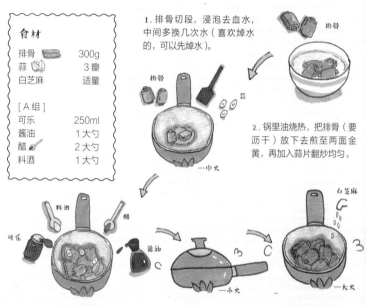

1. 排骨切段，浸泡去血水，中间多换几次水（喜欢焯水的，可以先焯水）。

排骨

2. 锅里油烧热，把排骨（要沥干）放下去煎至两面金黄，再加入蒜片翻炒均匀。

—中火

白芝麻

料酒

醋

可乐

酱油

—小火

—大火

3. 加入A组，煮开后尝一下味道，按自己喜欢的酸甜度调整。

4. 煮开后，加盖改小火，煮20~30分钟。

5. 最后大火收汁，起锅后撒上芝麻就可以啦！

食材

排骨	300g
蒜	3瓣
白芝麻	适量
[A组]	
可乐	250ml
酱油	1大勺
醋	2大勺
料酒	1大勺

提示：因为可乐本身很甜，所以不用加糖，调味的时候如果觉得不够甜，再加糖。每个人喜欢糖醋的酸甜比例不一样，调味的时候按照自己的喜好调整。

沙茶排骨

1. 排骨洗净切段，锅内水烧开后，下排骨焯水，捞出沥干。

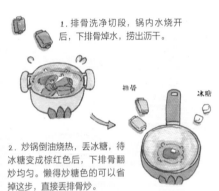

排骨　冰糖

食材

排骨	500g
沙茶酱	2勺
冰糖	8g
姜	3片
蒜	4瓣
酱油	1勺

2. 炒锅倒油烧热，丢冰糖，待冰糖变成棕红色后，下排骨翻炒均匀。懒得炒糖色的可以省掉这步，直接丢排骨炒。

姜片　酱油　蒜片　沙茶酱　热水

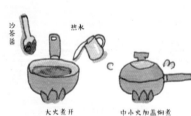

大火煮开　中小火加盖焖煮

3. 炒完糖色，放入姜片、蒜片、酱油翻炒均匀。

4. 加热水没过排骨，放入沙茶酱，煮开后转中小火，加盖炖30分钟。

5. 炖到汤汁浓稠，起锅前，尝一尝味道，根据自己的口味加盐调整咸淡。

兔妈牌猪肉炖粉条

食材

[主料]

五花肉	300g
红薯粉	150g

[辅料]

蒜	4瓣
大葱	半根
姜	2片
八角	1个
香叶	1片
花椒	1小把
桂皮	1小块

[调味]

酱油	2勺
料酒	1勺
冰糖	8g
胡椒粉	1茶匙

提示

这个做法，是我这个南方人的妈妈做的，好吃不正宗。我觉得非常好吃，是妈妈的味道，做东西做自己喜欢的口味就对了！

1. 用温水提前把粉条泡软（如果比较赶，就用开水泡软），五花肉切成1厘米的小方块。

2. 锅内油烧热，爆香姜蒜。放入切好的五花肉，翻炒到五花肉出油。

提示：这步很重要，是我妈妈的秘方。如果懒得炒，就随便把材料炒了去炖。我妈妈在这步就把肉差不多炒熟了，我觉得这样很香，也不腻。

3．再加入葱段、八角、香叶、花椒、桂皮、酱油2勺、料酒1勺，翻炒均匀（如果吃辣，可以加一点干辣椒。）

4．加入冰糖和适量的水，水没过肉即可。煮开以后，放胡椒粉和粉条，煮2~3分钟，粉条熟了就可以。汤要是太多，就大火收点汁，不过起锅以后，粉条也会吸点汁的。起锅前尝一下，不够咸就自己加点盐。（如果第2步没好好炒肉，就炖久一点。）

提示：我妈妈的这种做法呢，煮起来肉不油又有点嚼劲，我个人不喜欢软烂的，吃多了比较腻。这样做特香，肉也不用炖那么久。如果还怕腻，可以加大白菜，切丝第4步一起煮。

番茄肉末盖浇面

1. 番茄去皮（方法见 P46），切小丁。

食材

番茄	2 个
肉糜	200g
蒜	4 瓣
香葱	1 根
盐	1/2 茶匙
鲜酱油	1 小勺
料酒	1 小勺
糖或鸡精	1 茶匙
番茄酱	1 勺

2. 油锅烧热，先把肉糜炒变色，放入料酒、酱油炒匀，再加蒜蓉炒香。爆香以后放入番茄丁翻炒，番茄放入后火不要太大。

3. 番茄会变软出水，所以完全不用加水。加入盐、番茄酱（提味用，可不加），加盖中小火炖 10~15 分钟。一定要炖才好吃！

4. 开盖子大火收收汁，要一直搅拌，不然会糊底，起锅前撒糖或鸡精提味。可以捞面条了，盖浇一下，撒葱花，吃。

▲ 还可以这样吃！

番茄肉末盖浇豆腐

番茄肉末盖浇饭

提示：肉糜可以按自己喜好，用猪肉牛肉都可以，还可以加木耳啦，鸡蛋啦，青椒啦，等等。还可以做成盖浇豆腐啦，盖浇米饭啦，各种！按自己口味去变化吧！

3. 炒锅当汤锅

番茄疙瘩汤

冬瓜瑶柱汤

番茄疙瘩汤

1. 番茄去皮（方法见P46），切小丁。

番茄丁

食材

面粉	80~100g
大番茄	1个
鸡蛋	1个
盐	适量
鸡精	适量

2. 锅内加一点儿油，中火把番茄丁炒软，炒到出汁。要炒一会儿，没那么快。

3. 炒软后加2碗水，改中火加盖煮，煮一段时间才能煮出番茄味（不要开盖煮，盖子防止水蒸发跑走，不然会太干）。

面疙瘩　盐　鸡精

4. 在煮番茄的同时，开始做面疙瘩。把面粉放在大一些的盆子里，水一点一点加，用筷子画圆圈搅拌成一坨一坨的面疙瘩。如果还是粉粉的，再加一点水搅拌；如果太黏，加一点点面粉（然后有人搅出了一个巨型面疙瘩）。

5. 打开锅盖，倒入面疙瘩，轻轻搅动。煮开后加盐和鸡精调味，具体咸淡自己尝一下，按自己口味调整。

6. 疙瘩煮熟后（不懂怎么判断的，可以舀一个比较大坨的疙瘩尝一下熟了没有），打入蛋液，搅匀，水开，关火！

番茄　青菜　火腿
香葱　香菇　大葱

7. 可以按自己喜好添加食材。

皮蛋苋菜煲

食材

苋菜	300g
皮蛋	2个
花蛤	10个
瘦肉	1小块
蒜	5瓣
盐	适量
鸡精	适量

1. 把花蛤表面洗干净，提前浸泡在盐水里吐沙（如果菜市场有干净的海水，就要一些，养一夜）。苋菜去根，洗净备用。

瘦肉　　　切丝　　　抓腌

皮蛋　　　去壳切丁　　　皮蛋丁

蒜　　　去皮　　　切片

2. 瘦肉切丝，用盐抓腌一下，蒜切片，皮蛋去壳切小块（切皮蛋的时候刀蘸点儿水，皮蛋就不会粘在刀上了）。

瘦肉丝　皮蛋

蒜片

水

花蛤　苋菜

3.锅内油热，下蒜片爆香后，加入瘦肉翻炒一会儿，加入皮蛋翻炒几下，加1大碗水。

4.煮开后再放入苋菜（水不够多没事，苋菜煮软后体积会变小），再次煮开后放花蛤，转中火煮5分钟左右，起锅前加盐、鸡精调味。

提示：汤味好才好吃！皮蛋绝对不能少喽！瘦肉和花蛤都是为了提味，喜欢虾或者干贝等都可以加，能提鲜的都可以替换。

三文鱼味噌汤

三文鱼

食材

三文鱼	200g
嫩豆腐	1块
味噌	3勺
裙带菜	适量
大葱葱花	适量

提示

三文鱼用鱼头、鱼排或者边角料就可以了，"壕"用刺身中段什么的我也是不会阻止。味噌的量可以根据自己的口味增减。

1. 三文鱼边角料洗净沥干，把三文鱼带骨头的部分煎至两面略微变色。鱼肉盛出来备用，骨头留锅里。

裙带菜　嫩豆腐

2. 加入适量水，放入洗净的裙带菜（泡发还是不泡发都可以）和切小块的嫩豆腐。水开后，盖上盖子，小火煮10分钟（如果只放三文鱼肉，裙带菜和豆腐炖5分钟就可以了）。

3. 炖得差不多了，就丢入三文鱼肉煮1分钟，再放味噌搅拌均匀，马上熄火就可以啦！（炖的时间根据三文鱼的量和你放的部位来增减。）

4. 起锅前撒大葱葱花，如果喜欢别的也可以加。

提示：三文鱼汤尽量当天吃完，不要隔夜，会腥。味噌本身很咸，不加盐也可以，咸淡根据自己口味调整。至于使用赤味噌还是白味噌，都可以，看自己喜好。加入味噌后熄火，煮太久会减损风味。吃不了味噌的，可以只做三文鱼豆腐汤。

冬瓜瑶柱汤

熬夜来一碗

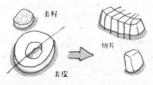

去籽

去皮

切片

泡软

捻

1.冬瓜洗净，去籽去皮，切片（或者切块）。

2.瑶柱用清水浸泡 20 分钟左右，泡发后沥干，捻开撕成小条（如果想吃整颗，就不要捻成丝）。

瑶柱

姜丝

冬瓜

水

3.锅内倒少许油，油热后放姜丝爆香，然后加入瑶柱丝煸炒，炒出香味后放冬瓜，再加水稍微没过食材（冬瓜本身会出水，不用加太多水）。

4.大火煮开后，转中小火煮至冬瓜软烂即可。起锅前按照自己喜好调味。

排骨

冬瓜

提示：根据季节变化，冬瓜可以换成节瓜、丝瓜、白萝卜，煮出来的汤都很鲜美。瑶柱本身有咸味，可以不加盐，起锅前按自己口味调整。

5.升级版——冬瓜瑶柱排骨汤，在第 3 步加入焯过的排骨，大火烧开后改中小火，一起炖煮至冬瓜软烂即可。

4. 当炒锅终于成为炒锅

宫保虾

蚝油牛柳炒海鲜菇

卤肉饭

宫保虾

食材

大虾	500g
花生米	18g
花椒	10 粒
干辣椒	5 个
葱	半根

[A 组]

料酒	1 小勺
淀粉	1 勺
盐	1/2 茶匙

[B 组]

醋	3 勺
糖	4 勺
盐	1/2 茶匙
料酒	2 勺
酱油	1/2 勺
水淀粉	1 勺

提示

B 组可以用同一个汤勺按比例调制，家里的那种不锈钢汤匙就可以。

好吃到屁股飞起来！

1. 虾去头、去壳、去虾线。（方法见 P39 步骤 1，也可以买现成的虾仁，但最好用鲜虾。）

2. 剥好的虾仁用 A 组腌制 10 分钟左右。

3. 把 B 组的材料混合调好汁，备用。

4. 小火烧热油，放花椒和辣椒段，爆香后放入虾翻炒到虾变色。

5. 虾变色后，倒入 B 组，快速翻炒均匀，让虾裹满酱汁。

6. 起锅前，放入花生和葱段，翻炒均匀即可。

宫保鸡丁

盐　酒　淀粉
鸡蛋清

1. 鸡肉切丁，
用 A 组腌制。

酱油
米醋　　　　　糖
葱花
蒜蓉　　　　水淀粉
盐
B

2. 用 B 组
调好酱汁，
备用。

葱花
干辣椒
花椒
鸡胸肉
B 组酱汁

3. 冷油放花椒，小火炸出
香味，花椒颜色变深后捞
出。爆香葱和辣椒。

4. 放入鸡肉，炒到变色后，
倒入 B 组，大火翻炒均匀 1
分钟左右。

食材

鸡胸肉	400g
黄瓜	100g
黄飞红花生	1 包
干辣椒	适量
葱	1 小段
花椒	20 粒

[A 组]

鸡蛋清	1/3 个
酒	1 小勺
淀粉	1 勺
盐	少许

[B 组]

米醋	2 汤匙
水	2 汤匙
水淀粉	2 汤匙
酱油	1 汤匙
糖	2 茶匙
盐	1/4 茶匙
蒜	1 瓣
葱花	适量

花生
黄瓜

5. 放入黄瓜丁翻炒均匀，
再放入花生翻炒均匀即可。

家常版三杯鸡

食材	
鸡	半只
姜	1块
葱	1段
香菇	2个
啤酒	1杯
油	半杯
糖	1茶匙
鸡精	半茶匙
酱油	半杯

1. 鸡切块，焯水，沥干备用。

2. 半杯油倒入锅里，烧热以后，炒香姜片和葱段。

3. 倒入鸡块煸炒至外表微黄，要全部翻炒均匀，一直翻炒，让水分都蒸发会比较香。

4. 倒入啤酒、酱油、香菇（撕成薄片）、糖，大火烧开后，小火焖烧20分钟到30分钟。

5. 大火收汁，起锅前加鸡精，翻炒均匀即可。

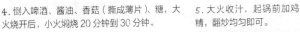

蚝油牛柳炒海鲜菇

食材

牛里脊肉	200g
海鲜菇	150g
蒜	3 瓣
小葱	1 根
干辣椒	5 个
蚝油	1 大勺

[腌制调料]

盐	1/2 茶匙
淀粉	1 大勺
老抽	1 小勺
料酒	1 勺
清水	1 勺

1. 洗好海鲜菇备用。牛肉切条，记得要逆着纹路切。加腌制调料，抓匀。

2. 锅中倒油烧热，丢入牛肉，炒变色后捞出来备用。动作要快，不然肉不嫩了。

提示

什么菇都可以，杏鲍菇、香菇、蘑菇、金针菇和牛柳都很搭，选你喜欢的煮。

3. 用锅里剩余的油（没剩就加点油）爆香干辣椒段、蒜末，丢海鲜菇翻炒至变软（炒不软的可以先用开水烫一下，然后爆香炒匀，进行第 4 步）。

4. 放入葱段、蚝油，与海鲜菇翻炒均匀，再放入之前炒好的牛肉，继续大火快速翻炒均匀就可以了。起锅前加一点鸡精提味，不喜欢的加一点点糖提味。盐正常不用加，喜欢重口味的自己调整。

辣白菜炒五花肉

食材

五花肉	·250g
辣白菜	200g
大葱	1段
韩式辣酱	1大勺
料酒	1勺
酱油	1大勺
糖	1勺
盐	1茶匙

便当

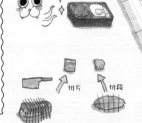

1.五花肉切薄片，泡菜切段。

葱

2.锅烧热，把葱段爆香。

五花肉

3.爆香葱段以后，放入切好的五花肉，翻炒到五花肉全部变白，需要炒2~3分钟。

料酒 酱油 韩式辣酱

4.五花肉变色后，放韩式辣酱1大勺，料酒1勺，酱油1大勺，炒均匀。

辣白菜 盐 糖

5.再放入切好的辣白菜、糖1勺、盐1茶匙（咸淡根据自己口味调整），把肉和辣白菜翻炒均匀后就可以出锅了。

面

▲ 辣白菜五花肉炒泡面

把面烫熟以后，立刻捞起来，放入冷水中降温，沥干备用。在第5步把面放进去一起炒匀即可。

麻婆豆腐

1. 豆腐切小方块，在盐开水中泡2分钟。泡好豆腐，就可以切蒜蓉和开火准备煮了。

2. 锅内加一大勺油（推荐菜籽油），烧热后加入牛肉糜炒散、变色后，加豆瓣酱和蒜蓉，慢慢炒出红油，炒出世界！

3. 加入一碗水，酱油、料酒、糖都放进去，煮开。

食材

嫩豆腐	1块
牛肉糜	50g
郫县豆瓣酱	2勺
料酒	1大勺
鲜酱油	1大勺
糖	1茶匙
蒜	3瓣
水淀粉	2勺
花椒粉	适量
葱花	适量
盐	适量
开水	适量

提示

如果能吃辣，就自己加一些辣椒面。豆瓣酱本身就咸，不需要再加盐，口味比较重的根据自己口味调整。如果没有牛肉糜，可以用猪肉糜！

勾芡　　　香油

—中大火

4. 煮开后，加入沥干的豆腐块，倒入锅内煮 2~3 分钟后，加水淀粉勾芡，然后小心搅动，不然豆腐都碎了。最后淋上几滴香油！就几滴啊！就可以盛出了！

葱花

花椒粉

5. 倒到碗里，马上撒上花椒粉！我喜欢葱花，也会撒葱花！哦耶！吃吧！

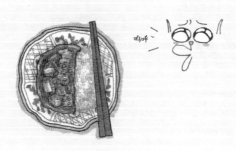

呜呼～

京酱肉丝

食材

猪里脊肉	200g
大葱葱白	1段
黄瓜	小半根

[A组]

蛋清	1个
料酒	1勺
盐	适量
淀粉	适量

[B组]

甜面酱	1大勺
水	2大勺
糖	1大勺

1. 猪里脊肉洗净，切丝。注意不要切太细，不然很容易炒老。加入盐、料酒、淀粉、蛋清，用手抓匀，腌制10分钟。（有的甜面酱比较咸，腌制的时候可以不加盐！）

2. 锅内油烧至五成热，下肉丝炒至变色，盛出备用。

3. B组混合搅匀，倒入锅内，中火烧开转小火。

4. 倒入炒好的肉丝翻炒，让肉丝均匀地裹上酱汁即可。

5. 葱白切丝，黄瓜切丝，摆盘，把京酱肉丝盛出放到葱白丝上即可。

提示：配料按自己喜好搭配，喜欢豆皮的用开水烫一下豆皮，就可以包着吃啦！我这个南方人喜欢包春饼皮吃！（哈哈哈哈哈哈哈哈哈）

地三鲜

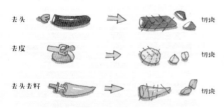

去头　　　　　　　　切块

去皮　　　　　　　　切块

去头去籽　　　　　　切块

食材

茄子	1 根
土豆	1 个
青辣椒	1 个
葱	1 段
蒜	2 瓣
酱油	1 大勺
盐	1/2 茶匙
糖	1 勺
水淀粉	2 大勺

1. 茄子去头，土豆去皮，青椒去头去籽，洗净后分别切成大小均匀的滚刀块。看不懂滚刀块就乱切。

2. 用小奶锅烧小半锅油，分别把土豆块炸至表面金黄，茄子块炸至茄子变软。捞起沥干，最后下青椒块，过一下油立刻捞出。

3. 另起一锅，倒少许油，油热后下葱、蒜片爆香，下土豆块、茄子块和青椒块翻炒。

4. 加酱油、盐、糖，翻炒均匀后，加水淀粉再翻炒均匀就可以啦！

 提示：想省油的话，不需要炸，可以耐心地用煎锅把土豆和茄子都煎熟！

卤肉饭

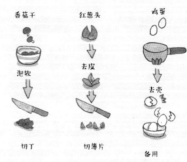

1. 香菇提前泡软切丁（也可以切别的形状）备用。红葱头（可以用洋葱代替）去皮切成薄片，这步你会流泪，信我。鸡蛋煮熟去壳备用。

2. 五花肉切成 1 厘米宽的小条，刀要锋利，不然你会发火。

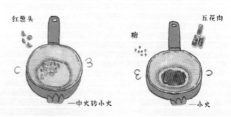

3. 锅内油烧热，丢入红葱头薄片，中火炸到变色后改小火，炸到所有红葱头变成黄色就可以捞出来备用了。

4. 炸红葱头的底油留着，放入糖。把糖烧至深红色，丢入五花肉，快速炒匀上色。

姜片

八角

蒜片

5. 加入姜片、蒜片、八角，继续翻炒，把肉炒到有点焦黄，这时候会出很多油，把油锅里多余的油都倒出来，走，去看下一步。

红葱头

鲜酱油

香菇

6. 加入红葱头、香菇丁、酱油，翻炒均匀，再加水，水没过肉 2 厘米左右，煮开后换入炖锅。

鸡蛋

一小火

7. 炖锅里丢入前面剥好的鸡蛋，煮开后小火炖 1 到 2 个小时。具体时长取决于个人喜好。

韩式拌饭

食材

熟米饭　　　　按你的食量
韩式辣酱　　　　2大勺
（按自己口味增减）

▲ **素菜处理**（选自己喜欢的食材制作）

黄瓜丝

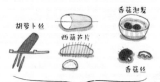

胡萝卜丝
西葫芦片
香菇泡发
香菇丝

菠菜　豆芽
蕨菜干
烫熟

1. 黄瓜可生吃，洗干净切丝备用。

分别炒熟

2. 胡萝卜丝、西葫芦片、香菇丝要炒熟，切好后，分别炒熟备用。

3. 豆芽、菠菜、蕨菜干烫熟以后，沥干备用。

提示：蕨菜干要泡软以后才好煮，直接煮要煮很久很久很久，个人觉得很麻烦，可以不用。

▲ **荤菜处理**（选自己喜欢的食材制作，我反正是没肉不行）

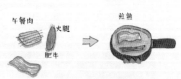

午餐肉　火腿　肥牛　　　煎熟

1. 午餐肉、火腿切丝，肥牛就不用切了。把你想吃的肉，用锅煎熟就好。

2. 别的肉懒得处理了。

3. 当然，要煎一个单面的荷包蛋!

提示：有石锅的话，刷上油，米饭放进去，烧热拌一下，就是石锅拌饭了啦。

石锅

第三章
方盒子里的神奇魔法

75~110

1. 烤箱篇

红枣玛芬蛋糕

蔬菜咸蛋糕

蜜汁棒棒槌

牛肉杏鲍菇烤奶酪

红枣玛芬蛋糕

食材

食材	分量
红枣	100g
低筋面粉	150g
黄油	50g
红糖	80g
牛奶	200g
鸡蛋	3个
泡打粉	2g

1.红枣提前用水泡软，去核，切碎（也可以用料理机打碎）。

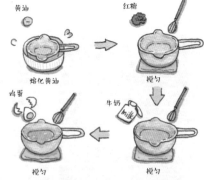

2.黄油隔水熔化，趁热加入红糖搅拌，红糖溶化后，加入牛奶和鸡蛋，每一步都搅拌均匀。这一步就是按照顺序放东西，都要搅拌均匀。

面粉过筛

红枣碎 　　　　　泡汀粉

3.加入红枣碎、过筛的低筋面粉和泡打粉搅拌均匀，画十字搅拌至无干粉状态。

4.把搅拌好的面糊倒入蛋糕模具里，装八分满就可以了！（如果用的是金属模具，需要先涂一层油，方便脱模。）

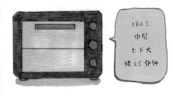

180℃
中层
上下火
烤25分钟

5.烤箱预热，将蛋糕放在中层，上下火180℃烤25分钟即可。

提示：根据每个人的烤箱脾气的不同，烤的温度和时间也不一定相同，温度基本控制在170℃到200℃之间，可以适当延长时间。用牙签插入玛芬内部，拔出后无面糊粘连就可以了。

蔬菜咸蛋糕

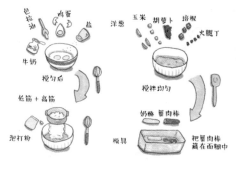

食材

低筋面粉	100g
高筋面粉	30g
泡打粉	8g
马苏里拉奶酪	适量

[A组]

鸡蛋	3个
牛奶	50ml
色拉油	30ml
盐	1/2 茶匙

[蔬菜]
选你喜欢的任意蔬菜

胡萝卜	1小段
洋葱	1/4个
玉米粒	适量

[荤菜]
喜欢的话可以来点荤的
火腿（或培根）、蟹肉棒
适量

1. 把A组的材料混合，搅拌均匀。倒入混合过筛的低筋、高筋面粉和泡打粉，拌匀成面糊（拌匀就好，不要过度搅拌）。

2. 把蔬菜和荤菜切碎，倒进面糊里搅拌均匀（奶酪也一起加入），倒入蛋糕模具里。（像蟹肉棒或者奶酪棒，就在模具底部先铺一些面糊，放入棒状物，再倒入剩下的面糊。）

3. 烤箱预热至180℃，烤30分钟左右。（中间观察一下，蛋糕表面变金黄色就差不多了，用牙签截蛋糕中间的部分，牙签拔出来没有粘面糊就烤好啦。）

提示：蔬菜和荤菜都可以根据喜好更换，什么豌豆啦，番茄啦，芦笋啦，彩椒啦，西蓝花啦，鱼肉也可以！奶酪记得一定要加！

奶酪焗番茄

食材

番茄
培根
甜玉米粒
研磨黑胡椒
马苏里拉奶酪
全部适量

提示

番茄选小一点儿的，吃几个就准备几个。没有马苏里拉奶酪，可以用超市里的奶酪片，只是效果不一样。

1. 番茄洗干净，去蒂，把中间的籽掏出来。

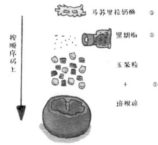

2. 番茄里放入玉米粒和切碎的培根，撒黑胡椒，表面撒满马苏里拉奶酪。

3. 番茄放入容器里，或者丢烤盘上。

4. 烤箱预热至180℃，然后用160℃烤30分钟即可。

蜜汁棒棒槌

食材

鸡翅根 10 个

[A 组]		[B 组]	
蒜	1 瓣	水	1 勺
酱油	2 勺	蜂蜜	2 勺
米酒	2 勺	酱油	1 小勺
水	2 勺		
蜂蜜	1 大勺		

提示

没有米酒就用别的酒代替。

肉翻一面

① 翅根的顶端用剪刀剪一圈，剪断筋和肉。

② 沿着骨头把肉往下捋，并且捋出来，露出整根骨头，但是不要分离骨肉！

1. 鸡翅根洗净，吸干表面的水分，然后用图示的方法把它变成"棒棒槌"。

2. 把 A 组材料混合均匀，涂抹在每个鸡翅表面，腌制 3 个小时（越久越好）。如果天气太热，记得放冰箱腌制。

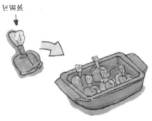

包锡纸

3.用锡纸把棒棒槌的骨头部分包一下，防止烤焦。

4.烤箱预热至 200℃，先烤 15 分钟。把棒棒槌拿出来，刷上 B 组，送回烤箱烤 5 分钟，来回刷 2~3 次，让每团肉都裹满酱汁。

提示：烘烤时间根据棒棒槌的大小和烤箱的脾气调整。

牛肉杏鲍菇烤奶酪

食材

杏鲍菇	150g
牛肉	80g
奶酪	2 片
洋葱	30g
黑胡椒	1/2 茶匙
番茄酱	1 汤匙
植物油	3/2 汤匙
盐	1 茶匙
柠檬	半个

1. 杏鲍菇洗干净切成片，用1/2汤匙的油和1/2茶匙的盐拌匀。

2. 牛肉剁碎。

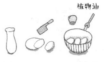

3. 牛肉和洋葱切碎，加黑胡椒粉、1/2茶匙盐、番茄酱、1汤匙油，挤入半个柠檬的汁，搅拌均匀。

4. 奶酪片切条，备用。

5. 把杏鲍菇在烤盘上铺平，牛肉铺在杏鲍菇上。

6. 烤箱调至200℃，烤10分钟。

7. 拿出烤盘，在表面铺满奶酪。

8. 再入烤箱烤5分钟即可。

蜜汁猪颈肉

1.猪颈肉洗净沥干，用刀背轻轻敲打、按摩，然后两面划横纹（想要漂亮的肉可以不划）。

料酒

叉烧酱

洋葱丝

鲜酱油

蒜
（拍碎）

拌匀

冷藏　装袋　按摩

2.猪颈肉里加入A组拌匀，让猪颈肉两面都裹满酱料，用手按摩5分钟，再密封好放进冰箱冷藏一夜。（偷懒的就直接装袋子里搅拌和按摩，至少腌制2小时，也可以上午腌晚上烤。）

食材

猪颈肉	250g

[A组]
叉烧酱	3勺
鲜酱油	1勺
料酒	1勺
蒜	5瓣
洋葱	小半个

[B组]
| 叉烧酱、蜂蜜 | 各1勺 |

▲ 烤箱版

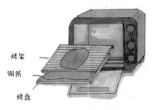

烤架
锡纸
烤盘

3. 腌制好的猪颈肉沥干，撇掉蒜和洋葱，放在烤架上，烤架放烤盘上，下面最好铺一层锡纸，比较好洗。烤箱预热至 180℃，上下火烤 15 分钟。

刷

拌匀

4. 将肉烤至金黄后，拿出来两面刷上叉烧酱和蜂蜜，继续烤 5 分钟。具体时间和温度，根据烤箱和肉的具体情况调节。

~~~~~~

▲ 非烤箱版

刷

拌匀

3. 腌制好的猪颈肉沥干，撇掉蒜和洋葱，放入锅内。油热后转小火，过程要加盖，不然容易煳。双面煎到金黄，刷上叉烧酱和蜂蜜后再翻面煎一下，裹匀酱汁即可。

2. 微波炉篇

微波炉蒜香五花菇

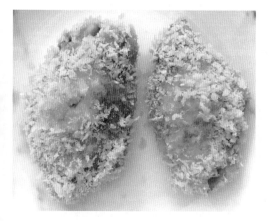

微波炉版炸鸡翅

微波炉蒜香五花菇

食材

五花肉	150g
海鲜菇	1包
金针菇	1包
黑胡椒	适量

[A组]

蒜	5瓣
香油	1大勺
盐	1/2茶匙

提示: 吃的时候, 也可以用肉和菇沾着A组酱汁吃!

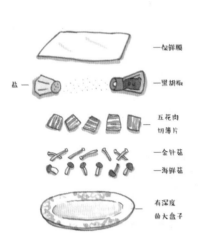

保鲜膜

盐 — 黑胡椒

五花肉切薄片

金针菇

海鲜菇

有深度的大盘子

1、五花肉切薄片, 海鲜菇和金针菇洗净沥干; 盘底铺满海鲜菇和金针菇, 再把五花肉片均匀铺上, 撒上适量盐和黑胡椒, 盖上保鲜膜。

2、盘子放入微波炉用中高火 (600W对应中火) 加热7~10分钟 (具体时间根据现实情况调整), 表面的肉熟了就可以了。

香油   盐

蒜蓉

3、把A组混合均匀, 淋在加热好的五花肉和菇上, 撒上葱花, 就可以吃啦!

微波炉版炸鸡翅

食材

鸡翅	爱吃多少做多少
面包糠	适量
蒜	适量
料酒	1勺
酱油	1勺

1. 鸡翅完全解冻，可以在表面用刀划一字，也可以用牙签插孔。按自己的喜好腌制，我一般用蒜、料酒和酱油，腌制30分钟以上。

2. 腌制鸡翅还可以用图中这些。

提示：腌制调料可以按自己的喜好选择，想偷懒的话就多放点蒜，料酒1勺，酱油1勺。

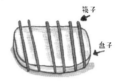

3. 拿一个盘子，架上筷子。

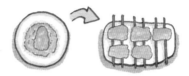

4. 鸡翅滚满面包糠，摆放在筷子上。

5. 中高火加热6分钟。

烤燕麦

食材

燕麦	25g
（4 勺左右）	
鸡蛋	1 个
牛奶	60ml
西蓝花	小半颗
培根或火腿	适量
鲜酱油	1 勺
盐	1/2 茶匙
黑胡椒	适量

咸

1. 燕麦 + 牛奶 + 鸡蛋 + 酱油，加盐拌匀。如果你要加培根这种本身有咸味的东西，盐的量就要少一些。做得太咸了不要来找我，我已经提醒你了！我自己很喜欢黑胡椒，这里就会加一些进去。

2. 把拌匀的燕麦体倒入能进烤箱的容器里，撒一层研磨黑胡椒，插上西蓝花（西蓝花要洗干净切小块）。一定要插进糊糊里，不然会太高容易焦。撒上一层培根丁，最后再撒一遍研磨黑胡椒。（顺序我已经注明，没有黑胡椒就不要加了。）

3. 烤箱预热至 180℃，上下火，烤 18~25 分钟。烤了 18 分钟就可以看一下，表面别烤糊了哦。

1. 燕麦 + 牛奶 + 鸡蛋 + 糖，搅匀后加香蕉片拌匀，不要太用力，不然就和成稀泥了！糖的量根据个人喜好来加，自己尝一下糊糊的味道，做得太甜或者不够味不要来找我！

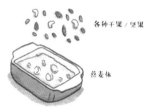

各种干果 / 坚果

燕麦体

食材

燕麦	25g
鸡蛋	1个
牛奶	60ml
香蕉	1根
坚果 / 干果	适量
糖	适量

2. 把拌匀的燕麦体倒入能进烤箱的容器里，撒一层自己喜欢的干果或坚果，比如腰果、核桃仁、葡萄干、蔓越莓干。喜欢椰丝的，可以再撒一层椰丝，或者搅拌到"稀泥"里。

180℃

18~25 分钟

3. 烤箱预热至180℃，上下火烤18~25分钟。烤了18分钟就可以看看，表面别烤煳了。

过夜燕麦

食材

生燕麦 半杯   牛奶 半杯   酸奶 半杯

燕麦
牛奶
酸奶

1. 把食材全部放入一个可密封的容器内，搅拌均匀。

亚麻籽
奇异籽
葡萄干或其他果干
碎坚果
碎红枣
芝麻

蜂蜜 1 小勺
枫糖浆 1 小勺
肉桂粉 半勺
香草精 2 滴

△ 可选

2. 加入自己喜欢的材料。奇异籽或者亚麻籽最好加，别的干果类、碎坚果类、调味类按自己的喜好选择（可选类型如上图）。

冻一夜

3. 搅拌均匀，密封存放在冰箱，冷藏一夜。

罐
碎

新鲜水果：
格兰诺拉麦片：
各种果泥：
各种蔬菜水果脆片：
花生酱、巧克力酱：

4. 第二天，拿出来直接吃，或者换个容器装都可以。加上自己喜欢的新鲜水果或酱（可选类型如右图），就可以吃了！

煎吐司

切下的吐司
第 6 步用

打鸡蛋

1. 在吐司中间挖个洞。

2. 开小火，在挖空的地方滴点油。

3. 打入鸡蛋（小一点的更好）。

黑胡椒

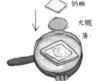

奶酪

火腿（薄）

鸡蛋液

4. 蛋搅散，加黑胡椒。

5. 加入奶酪、火腿（可不加）。

6. 把挖出来的那部分吐司压回去，挤出蛋液。

食材

吐司
鸡蛋
火腿
奶酪片

黑胡椒

7. 翻面，固定并煎脆。

烤棉花糖吐司

食材

吐司
棉花糖
黄油（可无）

黄油

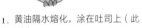

1. 黄油隔水熔化，涂在吐司上（此步可略）。

2. 吐司表面排上棉花糖（推荐香草味）。

趁热拔丝吃！

3. 烤箱预热至180℃。如果把吐司放中上层，盯着看（容易焦）；如果放中层，时间会比较久（但吐司会更脆），也盯着看。烤至棉花糖表面微焦即可。

懒人烤吐司

⑤ 肉松或鱼松

④ 1 片奶酪

③ 包菜丝（细）

② 番茄酱

① 吐司

按顺序码起来

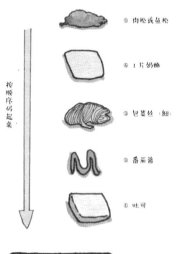

200℃烤 2 分钟，看到奶酪熔化流下来即可

泥石流奶酪烤厚片

食材

厚片吐司	1 片
牛奶	20ml
奶酪片	2 片
马苏里拉奶酪	1 大把
盐	适量
研磨黑胡椒	适量

提示

吃甜的可以加糖，就不要加盐和研磨黑胡椒了。

1. 牛奶里加一点盐，放进微波炉，500W 加热 20 秒，再加盐搅拌均匀（加糖也在这步搅匀）。

2. 加入撕碎的奶酪片和马苏里拉奶酪，再放入微波炉 500W 加热 20 秒，把软化的奶酪与研磨黑胡椒搅拌均匀。

 提示：奶酪要是浓浆状态，如果太稀就再加点奶酪，如果没熔化就再加热 20 秒。

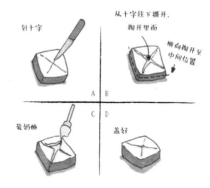

划十字

从十字往下撕开，
掏开里面

横向掏开至
中间位置

A	B
C	D

装奶酪

盖好

3. 在吐司上用刀划十字，不要划太深，然后横向掏开至中间的位置，不要太低，不然容易漏。把奶酪装入十字中，要趁热，不然就凝固了。可以先处理吐司，再处理奶酪。

4. 烤箱预热至180℃，烤10分钟，将吐司表面烤至金黄就可以了！

提示：划吐司的时候，不能划得太深。如果刀戳破了吐司，就垫个锡纸烤，不然奶酪会从底下流走。

培根鸡蛋吐司杯

食材

白吐司	1片
鸡蛋	1个
培根	1片
黄油	适量
黑胡椒	适量
奶酪	适量

提示

以上食材是一份的量。用什么奶酪随你。用马苏里拉奶酪拉丝，或用超市里的奶酪片爆浆，风味不同，都很好吃。

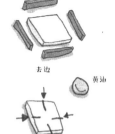

去边　　　黄油

切 4 刀

1. 吐司去边，切 4 刀，涂上黄油。（如果很厚，可以用擀面杖压扁。）

培根

切一点

中火

2. 培根切一点碎料备用，剩下的煎一下。

- ⑥培根碎

△选一种容器 - ⑤黑胡椒

一般容器 - ④奶酪（切条）

- ③鸡蛋

- ②培根

好看的容器 - ①吐司

- 完美

3. 一层吐司，一圈培根，一个鸡蛋，一些奶酪，码好，撒上黑胡椒和碎培根。（容器用烤布丁的那种玻璃容器，或者杯子蛋糕的纸杯，或者其他好看的容器。）

4. 预热烤箱至180℃，把吐司杯放进去烤10~20分钟至表面鸡蛋凝固，吐司金黄即可。

蒜香吐司边

食材

吐司边	适量

[蒜香酱]
黄油	20g
蒜	7~10g
盐	1/4 茶匙
罗勒或香葱	适量

1. 若没有罗勒，直接用香葱，切碎。蒜剁成泥。

2. 黄油熔化。可用微波炉加热 30 秒或隔水加热。

3. 把蒜泥、葱碎、盐全加入熔化的黄油，拌匀，尝咸淡。

4. 把吐司边在拌匀的蒜泥中滚一下。

170℃
上下火
中层
8 分钟

5. 把吐司边摆好，在表面也放一点酱，放入烤箱烤至金黄即可。

西多士

食材

白吐司 2片

[蛋液]
鸡蛋 2个
炼奶或糖　适量
（也可以加一点点牛奶在蛋
液里）

[吐司夹心]
奶酪 + 火腿片
或
牛油 + 花生酱

鸡蛋　炼乳

吐司去边

准备工作：做什么口味都要先做这步。吐司去
边，然后将鸡蛋液与炼乳拌匀。

▲ 奶酪 + 火腿片

压好

吐司
奶酪
火腿片
吐司

裹蛋液

中小火

把奶酪和火腿片用吐司夹好，裹上蛋液。裹蛋
液要快一点，不然你会后悔。然后放入热油煎锅
里。火要小，慢慢把每面都煎金黄就好。火大就
煳了啊！

▲ 牛油 + 花生酱

吐司一面先抹上牛油，再抹上花生酱，量看自己喜好。两片都抹好就对着合上，裹上蛋液。裹蛋液要快一点，不然你会后悔。然后放入热油煎锅里，火要小，慢慢把每面都煎金黄就好。火大就煳了啊！

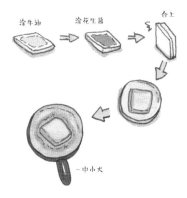

▲ 还可以煎法棍

法棍切成厚度差不多1厘米的片，然后裹上蛋液，用中小火把两面煎金黄就可以啦！

提示：我有一次在一家店里吃到裹这样的蛋液煎的法棍，吃的时候蘸焦糖酱，也很不错。法棍口感比较硬，可以试试！（要做哪个口味，看你自己。）

提示：
1. 裹蛋液要快，吐司吃蛋液吃得很快，一慢就烂了，拿不起来！
2. 火要小一些，不然容易煳。
3. 油不要太多哦。可以用黄油煎，或者在表面放一块，随自己心意。
4. 夹心可以按自己口味更改，什么夹奶酪啊，夹巧克力啊，夹香蕉的也有，夹蛋估计不合适。（污了，再见）

虾仁吐司卷

食材

吐司、虾仁、1个鸡蛋、盐、黑胡椒、美乃滋

提示

看自己需要，吃多少做多少，虾泥做多了也可以直接食用，就是虾仁沙拉啦。

1. 虾仁烫熟、沥干剁小块（喜欢细腻口感的可以打成泥）。

2. 加盐、美乃滋、黑胡椒，拌匀。

3. 吐司去边。用擀面杖把吐司一边压扁。虾泥放另一边。像寿司一样卷！起！来！

4. 吐司卷裹上蛋液。

5. 中火煎至金黄。

半熟蛋液烤厚片

食材

厚片吐司	1片
鸡蛋	1个
培根	半片
美乃滋	适量
马苏里拉奶酪	适量
研磨黑胡椒	适量

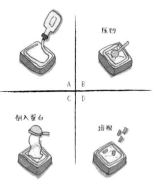

1. 在厚片吐司上挤一圈美乃滋，用勺子轻压中间的部分。加入蛋白，并在蛋白上撒切碎的培根。

180 度烤 5 分钟

2. 烤箱预热至180℃，烤5分钟，让表面的培根熟了就可以。

③黑胡椒

②放马苏里拉奶酪

①放入蛋黄

3. 加入蛋黄，在蛋黄上撒满马苏里拉奶酪，再撒一点黑胡椒。

烤 8 分钟

4. 烤箱预热至 180℃，烤 8 分钟，表面的奶酪熔化即可。

提示：这款吃起来，蛋液是半熟的，超级赞！因为培根会咸，所以不需要用盐调味。如果没有培根，用火腿肥丁也可以，或者加一点点盐。

香蕉和吐司

▲ 奶酪香蕉烤吐司

食材

香蕉	1根
吐司	2片
奶酪	2片

—③ 奶酪
—② 切片香蕉
—① 吐司

1. 香蕉切片，码在吐司上，再铺上奶酪。

2. 烤箱预热至200℃，放入烤5分钟。

▲ 煎蕉花生盖吐司

糖　香蕉片
—小火

抹花生酱

食材

香蕉	半根
吐司	2片
糖	1大勺
花生酱	适量

1. 小火熔化糖，把切片的香蕉两面煎金黄。

2. 把2片吐司烤酥（用烤箱、平底锅、烤面包机都可），一片抹上花生酱。

夹　放香蕉　夹住

A　B

3. 拍照用就合上两片吐司，再码上香蕉。拿着吃，就用吐司夹着香蕉。

爆浆奶酪吐司卷

食材

吐司	3片
奶酪	3片
鸡蛋	2个

1. 吐司去边,用擀面杖碾平。

2. 每片吐司上放一片奶酪,准备好蛋液。

鸡蛋

3. 卷起来。

△软煎　　△脆煎

前面的蛋液,
您烙个蛋饼吃吧。

吐司卷　　无悬念
裹蛋液　　直接煎
后煎

4. 煎锅内倒入适量油,烧热后调小火,放入吐司,煎至金黄即可。

吃我!

奶酪烤厚片

食材

厚吐司	3 片
黄油	30g
淡奶油	30g
切达奶酪	2 片
（大概35g，超市里就有）	
糖	2g
（依个人口味增减）	

1. 把淡奶油、奶酪、黄油倒入小奶锅小火加热，一边加热一边搅拌，不要烧开，边缘有小气泡就差不多可以关火了。

2. 加糖搅匀，也可以一次性把全部材料加进去。搅匀以后尝一口，按自己口味增减糖量。

3. 把搅匀的液体厚厚地涂满吐司片，这时候可以先预热烤箱至 160℃。

4. 把吐司放入烤箱，160℃，上下火，中层，烤 15~20 分钟左右，烤到奶酪表面有焦黄的颜色就可以啦！

吐司比萨

把食材按顺序叠加到吐司上

- ⑥满满马苏里拉奶酪
- ⑤培根片、适量马苏里拉奶酪
- ④沙拉酱
- ③洋葱碎、适量马苏里拉奶酪
- ③罗勒碎、黑胡椒碎
- ①番茄酱

食材

吐司
番茄酱
沙拉酱
培根
罗勒
洋葱
萨拉米
牛柳（熟）
虾仁（熟）
玉米粒（熟）
青椒丝
黑胡椒酱

1. 把食材按顺序叠加到吐司上，食材中加入适量马苏里拉奶酪，最后在食材上铺满马苏里拉。

2. 烤箱预热至200℃，上下火，放中层，烤10分钟。

 提示：还可以自由搭配其他食材，按自己喜好添加吧！食材里是一些例子！

第四章
蒸和煮，原始的味道

111~146

1. 蒸的很美味

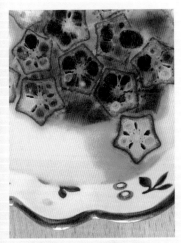

秋葵蒸蛋

鱿鱼蒸豆腐

凉拌手撕茄子

蒸肉饼

秋葵蒸蛋

1.鸡蛋加盐充分打散，加温水打匀。(蛋液和水1:1是滑Q的比例，喜欢吃更水滑的多加水。)

2.秋葵用盐水洗净，去掉头尾后，切厚片。

3.过滤蛋液，再放秋葵，盖上盖子或者保鲜膜。

4.锅内水烧开，入锅蒸10分钟。出锅后，根据个人口味淋上蒸鱼豉汁或其他酱汁。

凉拌手撕茄子

食材

茄子	2个
蒜	3瓣
红辣椒	1个
葱花	适量
[A组]	
香油	1勺
鲜酱油	1大勺
蚝油	1勺
醋	1勺
鸡精或糖	1/2 茶匙

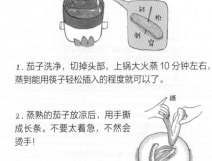

1. 茄子洗净，切掉头部，上锅大火蒸10分钟左右，蒸到能用筷子轻松插入的程度就可以了。

2. 蒸熟的茄子放凉后，用手撕成长条。不要太着急，不然会烫手！

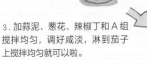

3. 加蒜泥、葱花、辣椒丁和A组搅拌均匀，调好咸淡，淋到茄子上搅拌均匀就可以啦

提示：茄子很吸味，正常酱油的味道就够咸了！先尝尝咸淡，如果不够咸，将酱油的量增加1/3茶匙。如果酱油够多，再加盐会非常咸。喜欢吃辣可以自己加辣，还有花椒油。按自己口味调整吧！

蒸肉饼

食材

猪肉糜	250g
酱油	3/2 大勺
料酒	几滴
鸡蛋	1个

1. 猪肉糜（肥瘦比为3:7）中加料酒、酱油、蛋清，拌匀。

2. 拌好后放上蛋黄，盖上保鲜膜。

3. 蒸20分钟。

豉椒蒸排骨

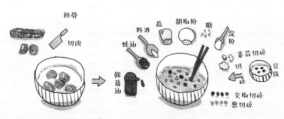

1. 排骨切块，浸泡去血水，沥干后与腌制调料混合拌匀（豆豉泡5分钟再用），腌1个小时。

任选一种
- 土豆切片
- 南瓜切片
- 山药切片

2. 选一种爱吃的菜垫底，倒入腌好的排骨。

3. 水开后，中火蒸30~40分钟。排骨切小点儿，或者土豆切大点儿，不然土豆和排骨熟的时间会差太多。

食材

排骨	400g
土豆 / 山药 / 南瓜	60g

[腌制调料]

豆豉	1大勺
小红尖椒	2个
香葱	1根
姜	2片
蒜	2瓣
盐	1/4小勺
糖	1/2小勺
淀粉	1小勺
胡椒粉	少许
料酒	1大勺
鲜酱油	1大勺
蚝油	1大勺

芋头蒸鸡

去骨

1. 鸡腿带皮切小块儿，芋头切成鸡肉一样大小的块儿。

料酒
酱油
盐
胡椒粉

2. 鸡肉加料酒、盐、酱油和胡椒粉，腌一会儿（最少20分钟，越久越好）。

盐
糖
辣黄豆酱
蒜末

3. 腌好的鸡肉和芋头放一起，放少许盐、糖、淀粉、辣黄豆酱和蒜末，用手拌匀。

4. 蒸30分钟左右（若牙签能穿透芋头就是熟了，可以关火了）。

山药蒸丸子

食材

山药	100g
猪肉糜	150g
蛋清	1个
姜末	10g
料酒	1勺
酱油	1大勺
盐	1小勺
香葱	1根

提示

我喜欢香葱，不喜欢的可以不加。

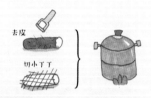

去皮

切小丁丁

1. 山药去皮，洗干净切小丁丁，蒸熟。（用筷子插一下就知道熟否。）

捣泥 或 切泥

2. 山药泥尽可能压烂，如果用刀切，没有切很烂，就在肉馅里加一勺面粉，不然不够黏。

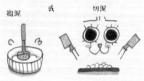

料酒 蛋清 葱花
盐 姜末 酱油

3. 把所有的食材和山药泥一起搅匀。可以放一半猪肉糜，一半虾肉泥。

捣丸子 垫着

4. 做丸子。丸子的大小就是一般牛肉丸大小。抓一块肉泥丢来丢去，或者凭想象做。垫一片胡萝卜或者黄瓜在丸子下面。

5. 大火把水烧开后，将丸子放进锅里蒸15分钟，焖5分钟。（时间根据丸子的大小调整。）

鱿鱼蒸豆腐

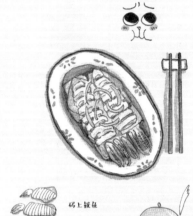

食材

新鲜鱿鱼	2只
干叶豆腐	1块
蒸鱼豉汁	适量
葱	适量
油	适量

码上鱿鱼

底：豆腐片

蒸鱼豉汁　葱丝　热油

1. 鱿鱼处理干净，切成圈，码放在豆腐上面。

2. 蒸锅中水烧开后，放入鱿鱼蒸5分钟。

3. 蒸出来的汤要是很多，就倒掉。撒上葱丝，淋上蒸鱼豉汁，油烧热淋到鱿鱼上即可。

提示：做这个菜，鱿鱼一定要新鲜，冷冻鱿鱼就不要做了。

木瓜牛奶

食材

木瓜　　　　　1个
牛奶　　　　　适量

提示

喜欢甜的可以加2颗冰糖。

备用

盖

1. 木瓜横着切开（1/4的位置），用勺子将木瓜里面的籽全部挖出来（把内壁刮光滑一些）。

2. 木瓜里加入牛奶，盖上木瓜盖，放入蒸锅。大火烧开后再蒸10分钟即可。

2. 煮煮更健康

虾鸡煲

萝卜牛腩煲

水煮牛肉

三汁焖锅

酸辣粉

食材

红薯粉	1份
辣椒油	1大勺
醋	1大勺
生抽	1大勺
香油	1小勺
糖	1/2小勺
盐	1/2小勺
花椒粉	1/2小勺
香芹碎	1大勺
酥黄豆／花生米	1大勺

提示

我个人很喜欢大蒜，会加2瓣的蒜末。酸辣的口味按自己喜好调整。喜欢吃肉的自己炒一些肉末，或者加一些卤大肠什么的。

注

本食谱源自 @ 小白素食记录的配方。

1. 锅里水烧开，丢进你要吃的红薯粉，盖盖子煮个5分钟。捞起来咬一下，熟了就可以了。（中间要检查一下，红薯粉的量会影响熟的时间。）

2. 煮红薯粉的同时，拿大碗把辣椒油、醋、生抽、香油、糖、盐、花椒粉按自己的口味放进去。

3. 把煮好的红薯粉倒进去，懒的人直接把煮粉的汤也倒进去。有高汤最好了，没有就烧个开水倒进去也可以。撒上你喜欢的配料。

红薯粉君：我是天生拉风，
不是被风吹的！

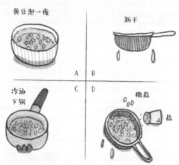

黄豆泡一夜

沥干

A B

C D

冷油
下锅

撒盐

盐

▲ 酥黄豆

黄豆提前泡一夜，炸之前充分沥干，用厨房
用纸吸干。冷油和黄豆一起下锅，小火慢炸，
会有噼里啪啦的油溅出来，要小心。炸15分
钟，豆子不怎么叫了，就差不多了。捞出来
沥干，撒上盐就好了。

韩式部队锅

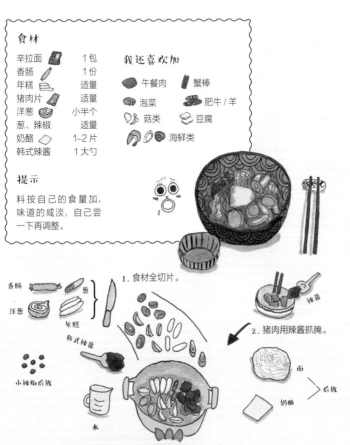

食材

辛拉面	1包
香肠	1份
年糕	适量
猪肉片	适量
洋葱	小半个
葱、辣椒	适量
奶酪	1~2片
韩式辣酱	1大勺

我还喜欢加

午餐肉　　蟹棒
泡菜　　　肥牛/羊
菇类　　　豆腐
海鲜类

提示

料按自己的食量加，
味道的咸淡，自己尝
一下再调整。

1. 食材全切片。

香肠　　　葱
洋葱
年糕
韩式辣酱
小辣椒后放
水

2. 猪肉用辣酱抓腌。

面　后放
奶酪

3. 食材全放进锅里，加水（有高汤更好）没过食材，
拉面调料也丢进去！煮开后尝咸淡。食材煮熟后，加
面、小辣椒。面快熟的时候加入奶酪片。等面变软，
奶酪熔化，即可关火。

韩式辣鲜菇肥牛汤锅

食材

肥牛	适量
泡菜	小半颗
鲜香菇	5 个
老豆腐	半块
海鲜菇	1 小把
韩式辣酱	1 大勺
蒜末	15g
盐	1 茶匙
糖	1 茶匙
大葱	几片

蒜末

肥牛

1. 锅里油热后，爆香蒜末。

2. 放肥牛片，炒到变色，取出备用。

盐　　糖

泡菜段　葱

菇　　　老豆腐

3. 锅里加入水，把韩式辣酱隔着网筛压到水中，网筛中剩下的残渣丢掉。加盐和糖调味，自己尝一下咸淡。

4. 老豆腐片、泡菜段、香菇、海鲜菇、葱段全下进去。盖上盖，中小火煲10分钟。

5. 再放入之前炒好的肥牛，煮开。最后尝下味道，按自己口味微调。

懒人就把食材全丢进锅里煮熟吃吧!

番茄炖排骨

1. 番茄去皮（方法见 P46）切小丁，洋葱切丝，蒜切片，备用。

食材

排骨	500g
番茄	2 个
蒜	5 瓣
洋葱	半个
[A 组]	
豆瓣酱	1 勺
酱油	2 勺
米酒	1 勺
糖	1 勺
盐	1/4 茶匙

2. 排骨洗净切段，烧一锅水。水开后下排骨焯水捞出沥干。

3. 锅内油热后，放番茄丁中火耐心翻炒，炒到番茄变软出水。

4. 再加入排骨、蒜、洋葱、A 组调料，如果番茄出水不够多，就适当加一点水，快淹没排骨就可以了。（加调味料的时候用小火，搅匀了再改大火。）

5. 大火煮开后，转小火加盖炖 20~30 分钟。出锅前尝一尝味道，根据自己的口味加盐调整咸淡。

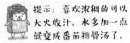

提示：喜欢浓稠的可以大火收汁。水多加一点就变成番茄排骨汤了。

广式鸡腿炖白菜

食材

鸡腿	4 只
大白菜	500g
比目鱼干	50g
木耳	100g
胡萝卜	1/2 根
葱	3 根
红辣椒	3 个
香菜	30g
蚝油	2 大勺
冰糖	1 大勺
太白粉	2 大勺
香油	1 小勺

提示

比目鱼干可以用培根代替，因为需要鱼干的咸鲜味。

注

本食谱源于 @ 柯俊年就是柯老大的配方。

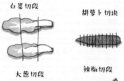

白菜切段　　胡萝卜切块

大葱切段　　辣椒切段

1. 鸡腿去骨（方法见 P24），肉切块，白菜切段，胡萝卜切片，红辣椒、葱切段。

2. 锅内倒油，下鸡腿块炒至变色，再下比目鱼干、葱、辣椒爆香。加少许水，下白菜、木耳、胡萝卜一起焖煮。

3. 煮开后，加蚝油和冰糖调味，焖煮 10 分钟左右，翻炒均匀。继续焖煮 2~3 分钟，加用太白粉兑的水勾芡。淋上香油，拌入香菜即可。

虾鸡煲

食材

大虾	15 只
大鸡腿	2 只
洋葱	1/2 个
青椒	2 个
香葱	4 根
蒜	30g
干辣椒	20g
（根据自己喜好增减）	
鸡高汤	200g
蚝油	2 大勺
花雕酒	5 大勺
冰糖	1 大勺
香油	1/2 大勺

注

本食谱源于 @ 柯俊年
就是柯老大的配方。

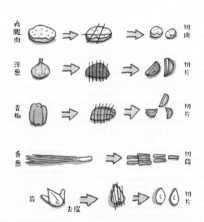

1. 鸡腿去骨（方法见 P24），肉切块，洋葱切片，
青椒切片，葱切段，蒜去皮切片。

2. 锅内倒少许油，下鸡腿块炒至表面微焦，再下洋
葱片、蒜片、干辣椒一起爆香。

3. 爆香后，加花雕酒（可以根据自己喜好更换种类）、蚝油、冰糖和高汤（可用热水代替），盖上盖子焖煮10分钟。

4. 最后放入虾、青椒片、葱段，焖煮3分钟。

5. 起锅前淋入香油拌匀即可。（不喜欢香油的朋友可以不加。）

萝卜牛腩煲

食材

牛腩	500g
白萝卜	半根
大葱	1/2 根
姜	1 块
蒜	5 瓣

[A组]

柱侯酱	1 勺
米酒	2 勺
酱油	2 勺
盐	适量
冰糖	适量

[B组]

八角 ✵	3 个
香叶	2 片
桂皮	1 段

牛腩

1. 牛腩切大块，用清水浸泡1小时以上，中间要换水，洗掉血水。

去头，去皮，去尾　　切条

葱切段

切块

姜切片

2. 白萝卜洗净，去皮，切滚刀块（不懂的话就乱切）。葱切段，姜切厚片。

3. 烧一锅水（能没过牛肉的量），水开后下牛腩块，煮至牛肉变色后，捞出用清水冲洗掉表面的浮沫，沥干。

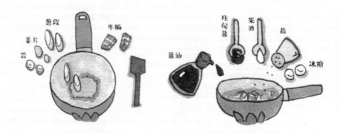

4.锅内油烧热，爆香葱姜蒜，下牛腩块翻炒均匀。再加入A组翻炒均匀，关火，把食材全部转移到砂锅里。

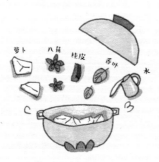

5.加入萝卜块、B组调料和水，水的量刚好没过食材即可。大火煮开后转小火，盖盖焖煮至牛腩软烂即可。

提示：如果不知道炖多久，炖30分钟以后开始试吃肉，炖到你喜欢的软烂程度就好了。然后一直试吃试吃，吃完了。(哈哈)

日式寿喜烧锅

1. 按比例把寿喜烧汁调好。(也可以直接上网买现成的。)

2. 香菇切出小星星,大葱切段,豆腐切成片,洋葱切成丝。

3. 锅里加一点油,放洋葱煎香,再煎牛肉。(我自己喜欢一开始就加洋葱,也可以第5步再加。)

4. 在牛肉上撒一些糖,这时候,可以加入半锅寿喜烧汁一起炖,也可以吃的时候再加。

食材

老豆腐	1块
大葱	半根
洋葱	半个
糖	适量

雪花牛肉、香菇、金针菇、魔芋丝、茼蒿,爱吃多少来多少

[寿喜烧汁]

水	2勺
日本料酒	2勺
万字酱油	4勺
味醂	1勺

提示

我是用吃火锅的那个大汤勺来计量的,锅底需要的汤比较多,吃到后面干了也能再加,按这个比例就对了。

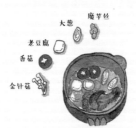

魔芋丝
大葱
老豆腐
香菇
金针菇

5.把准备好的素菜码进去，汤不够可以再加，但不要太满。（请按你们经常看到的照片的量摆放，不要准备了几斤肉，全丢进去了（这只是个比喻）。

茼蒿

6.焖煮5分钟。

7.丢入茼蒿，或者你喜欢的青菜，也可以加点肉，煮着吃吧。

做法不一定正宗，
味道一定是好的！

水煮牛肉

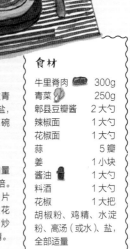

1. 牛肉洗净，切片，加入适量酱油、料酒、水淀粉腌制 10 分钟。

2. 热油爆香蒜片，放青菜快炒，放一点点盐，炒至断生即可，铺在碗底备用。

3. 锅烧热后倒油，油量是平时炒菜用的 2 倍。油 7 分热时，放入姜片炒。油再热一点时放花椒粒，然后放豆瓣酱炒出红油，再放少许鸡精。

食材

牛里脊肉	300g
青菜	250g
郫县豆瓣酱	2 大勺
辣椒面	1 大勺
花椒面	1 大勺
蒜	5 瓣
姜	1 小块
酱油	1 大勺
料酒	1 大勺
花椒	1 大把

胡椒粉、鸡精、水淀粉、高汤（或水）、盐，全部适量

4. 加高汤或水。待煮开后，用筷子夹牛肉片，一片一片放下去（其实我都用手）。放完后，迅速划散，肉片变色后马上关火。

5. 连汤带肉倒进铺了蔬菜的大碗里，撒上辣椒面、蒜蓉、花椒面。把一大勺油烧至 9 分热后，泼在辣椒面、蒜蓉、花椒面上。

麻辣鸡丝

1. 把鸡肉与A组放入锅中，加水淹没鸡肉，盖盖子，大火煮开后，改小火煮10分钟，筷子能刺穿鸡肉即可。

2. 煮鸡肉的时候，可把黄瓜切丝，蒜（C组的）打成泥。

3. 处理B组。冷锅下油和花椒，小火慢慢炸香（小心别煳了）。花椒变色以后，过滤，倒入碗内（碗内放辣椒碎和芝麻）。嫌这样麻烦的，可以直接用花椒油、辣椒油各2勺代替花椒、辣椒炸油。

4. 辣油里加入C组，拌匀，用作鸡丝的调味料。

5. 把鸡肉敲松，撕成条。

6. 把鸡肉丝、黄瓜丝、调味料拌匀即可。

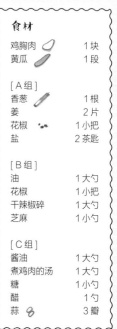

食材

| 鸡胸肉 | 1块 |
| 黄瓜 | 1段 |

[A组]
香葱	1根
姜	2片
花椒	1小把
盐	2茶匙

[B组]
油	1大勺
花椒	1小把
干辣椒碎	1大勺
芝麻	1小勺

[C组]
酱油	1大勺
煮鸡肉的汤	1大勺
糖	1小勺
醋	1勺
蒜	3瓣

三汁焖锅

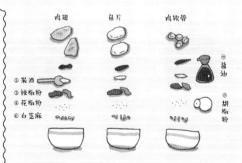

食材

鸡翅	10 个
巴沙鱼鱼柳	1 份
鸡软骨	200g
水	1 小碗
牛油	1 小块
蒜	20 瓣

[蔬菜]

土豆	半个
胡萝卜	半根
红薯	半个
洋葱	半个
芹菜	1 根

[腌肉调料]

米酒	1 勺
酱油	1 勺
花椒粉	1/2 茶匙
辣椒粉	1/2 茶匙
胡椒粉	1 茶匙
白芝麻	1 勺

[三汁酱]

蚝油	2 大勺
甜面酱	2 大勺
番茄酱	1 大勺
生抽	1 大勺
米酒	1 勺
糖或蜂蜜	1 勺

1. 腌制肉类。鸡翅洗净，两面划几刀，鱼柳切片，鸡软骨洗干净。分别用腌肉调料腌制 30 分钟以上。（肉类按自己的喜好增减，不同的肉用相同量的调料腌制，肉片类要加一点淀粉。）

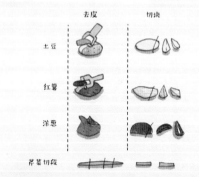

2. 处理蔬菜。蔬菜洗净，切成大小均匀的滚刀块，不懂就乱切，切块切条都可以。蒜去皮备用。（蔬菜根据自己的喜好进行增减，但是一定不要太少，要铺满锅底的量。）

~ 137 ~

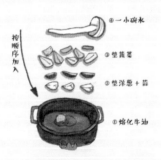

④一小碗水

③垫蔬菜

②垫洋葱＋蒜

①熔化牛油

按顺序加入

3. 码上蔬菜。不粘锅烧热，放入牛油。牛油熔化后先关火，铺一层蒜和洋葱，再铺上蔬菜，加一小碗水（有高汤最好）。

铺上肉类

4. 码上肉类。在蔬菜上码上鸡翅、鱼柳、鸡软骨。

中小火焖15分钟

一中小火

5. 焖熟它们。盖上盖子，水开后改中小火，焖煮15分钟。

提示：肉类和蔬菜可根据自己的喜好更换，我最喜欢放的是鲶鱼肉，不过很多新手不擅长做鱼，用简单的鸡翅做就好啦！

虽然我比较喜欢鸡软骨、牛肉、排骨、虾、鲶鱼……

生抽 蚝油 番茄酱 甜面酱 糖

提前拌匀，备用

6. 开盖把三汁酱（提前搅拌均匀）均匀地淋在肉类上，再盖盖儿焖煮5分钟，搅拌均匀后吃。

懒人卤牛肉

食材

牛腱子肉　　1 条
大葱　　　　1 根
姜　　　　　5 片

[香料包]
桂皮　　　　1 段
八角　　　　3 个
香叶　　　　3 片
花椒　　　　1 小把
草果　　　　1 颗
丁香　　　　8 颗
干辣椒　　　4 个

[调味组]
豆瓣酱　　　2 勺
生抽　　　　3 大勺
老抽　　　　2 大勺
料酒　　　　1 勺
冰糖　　　　4~5 颗

提示

香料不全的朋友，可以稍微增减品种。写那么多，其实就是泡掉血水，焯一下，一锅炖，所以够容易啦。当然，懒人，骨灰级的，应该是买着吃。（哈哈哈哈哈哈哈）

1. 牛腱子肉切成大块，在冷水中浸泡 3 个小时以去血水（越久越好），中间要把血水倒掉换清水，刚开始换水勤一点儿，后面就每半个小时换一下，直到没有血水渗出为止。

2. 倒一锅水，放入牛腱子，大火煮开，把肉捞出来用冷水洗干净。

3. 在炖锅里放入冲过凉水的牛腱子，倒入清水，刚刚没过肉就好了。大火煮开后撇掉浮沫，加葱段、姜片、冰糖、调味组和香料包，搅拌均匀，再次烧开后转小火炖 2 个小时。

4. 煮好的牛肉放在锅里浸泡一夜会更入味（夏天要放自然放凉后，放冰箱浸泡）。但要注意，咸淡调节合适后，请捞出来沥干保存，不然会越来越咸。吃不完密封好，放冰箱冷藏保存。

▲ 可以用电饭煲煮

直接跳到第3步，把牛腱子丢进电饭煲，盖盖子，按下煮饭键，中途要翻面，煮到牛肉容易用筷子扎进去就可以了。要是中途跳闸的话，再按下去。记得要浸泡哦！

▲ 高压锅的煮法

第3步用高压锅，大火煮至上气后，转中小火炖45分钟左右。或者用电高压锅直接选炖煮功能！记得要浸泡哦！

提示：进行第3步的时候，卤汁的咸淡自己尝一下，要比平时吃的淡一些，煮久了汤会变少，自然就咸了。因为豆瓣酱本身会咸，所以不需要加盐，重口味的另算。（哈哈哈哈哈）

[专题 4: 小奶锅]

冰镇话梅小番茄

食材

小番茄　　　250g
话梅　　　　6 颗
柠檬　　　　1/2 个

[B 组]
冰糖　　　　30g
水　　　　　300ml

提示

话梅和小番茄的比例
可以根据自己喜欢的
口感来调整，怕酸的
可以多放一点冰糖。

1. 小番茄去蒂后洗净，用刀在表面划十字，放入开水中浸泡 2~3 分钟，捞出稍微放凉后，剥掉小番茄的皮。

2. B 组和话梅一起煮开，盛出，室温下晾凉。(有个妙招，B 组可以直接用 300ml 雪碧代替，直接加入话梅即可。)

3. 把小番茄浸泡到放凉的话梅水里，加入柠檬片，盖上保鲜膜(或用保鲜盒装好)，放冰箱冷藏一夜即可。(尽量浸泡 12 个小时以上，会更入味！)

焦糖奶茶

糖

1. 最好使用不粘锅的小奶锅，开小火（电磁炉400W），在锅里放入糖，慢慢加热到糖熔化，熔化后开始搅拌，等糖变成深褐色的焦糖。

食材

牛奶或淡奶	500ml
茶叶	15g
糖	20g

提示

淡奶可以用三花淡奶或黑白淡奶。

茶叶

2. 倒入牛奶（或者淡奶）和茶叶，搅拌均匀。

3. 改中火（电磁炉800W），煮2分钟左右。闻到茶香以后，再煮1分钟。沸腾的话改小火煮就可以了。

4. 过滤茶叶，喝！（可以用茶包代替，省去过滤的步骤。）

提示：茶叶看自己的喜好，绿茶清淡一些，一般用红茶。我个人喜欢用普洱，喜欢茶味重一些，普洱煮完老对我胃口了！

薄荷奶茶

1. 开水中加入茶包和薄荷叶，盖盖焖5分钟。

食材

红茶包	2袋
薄荷叶	8片
开水	230ml
牛奶	300ml
糖	5g

2. 倒出茶水，加糖搅匀。

3. 牛奶隔水加热，温热即可。也可以用微波炉高火加热30秒后与茶水混合即可。

拿去冰一下，再喝!

木瓜奶冻

1. 小火加热牛奶和糖，用勺子搅匀（只为搅匀，不要烧开了）。吉利丁片提前用凉水泡软，捞出沥干，放入热牛奶中搅匀。关火，把牛奶放凉，大约 10 分钟左右就可以了。

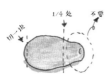

2. 将木瓜从 1/4 处切开，露出里面的籽（籽露出的面积大一些，切下来的可以自己吃掉），用长勺子将木瓜里的籽全部挖出来（把内壁刮光滑一些），底部切掉一小片，方便立起来。

3. 将放凉的牛奶倒入木瓜，用保鲜膜包好，放入冰箱冷藏至少 3 小时以上，久一些更好。

食材

木瓜	1 个
糖	30g
牛奶	250g
吉利丁片	2 片

提示

可以用 150g 牛奶加 100g 淡奶油代替 250g 牛奶。吉利丁片也可以换成 5g 鱼胶。

童年回味之夏日冬瓜茶

食材

冬瓜	1500g
桂圆干	90g
红糖	300g
冰糖	150g

1. 冬瓜外皮洗干净，连带冬瓜皮和冬瓜籽一起切成小块，加红糖，与冬瓜拌匀。

2. 静置 1 小时，冬瓜会自然出水。

3. 加入桂圆干、冰糖，大火煮开。

4. 撇去浮沫，盖盖子，转小火煮 2 个小时。

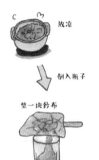

放凉

倒入瓶子

垫一块纱布

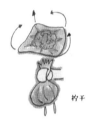

拧干

5. 放凉以后,过滤装瓶。过滤时,滤网上垫一块纱布。

6. 用纱布把冬瓜渣里的水拧出来,里面都是精华,然后装瓶。

冰块

7. 喝的时候按自己的口味加水和冰块,浓缩汁不用加别的东西。

第五章
搅拌机是夏天的星

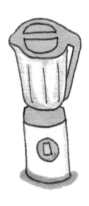

147~154

杨枝甘露

食材

[A组]

芒果	1个
(450g左右)	
椰浆	100ml
淡奶或牛奶	100ml

[B组]

西米	50g
西柚、芒果	随你

1. 提前煮好西米，放凉备用。把A组放入搅拌机打匀。

2. 把A组和B组一起装盘。（A组打匀后冷藏1~2小时比较爽口。）

▲ 煮西米的方法

把西米倒入水烧开的锅里，加盖大火煮10分钟，焖20分钟。把西米捞出来清洗干净，换一锅干净的水，煮开后再次倒入西米煮10分钟，焖20分钟。一定要焖哦！

酸奶冰棒

食材
酸奶、果肉、果泥、果酱、豆泥

西瓜　芒果　牛油果

奇异果　红豆　橙子

▲ A组：酸奶 + 果泥

1. 选自己喜欢的食材，用搅拌机打成泥。

酸奶　　　泥

倒酸奶　　倒泥泥　　捞几下

2. 模具里倒一半酸奶，倒一半泥，用筷子随便搅两下，故意不搅拌均匀，冰起来会很漂亮！

3. 冻一夜，成了！

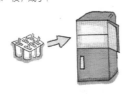

提示：一个冰棒加一种泥就好了，好看且味道更纯正。比较浓的果泥，也可以一层果泥一层酸奶地冰。

~ 150 ~

▲ B 组： 酸奶 + 果酱

酸奶

蓝莓酱

草莓酱

1. 把酸奶和果酱打匀，倒入模具。

2. 或者：把酸奶和果酱直接不规则地倒入模具，做出来会很漂亮！

3. 冻一夜，成了！

蓝莓 + 抹茶牛奶

▲ C 组： 果肉 + 酸奶

奇异果

草莓

芒果

1. 把水果切片或块儿。

2. 把水果片贴在模具壁上，再倒入酸奶。

3. 冻一夜，成了！

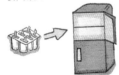

~ 151 ~

芒果冰沙

1. 芒果对半切。

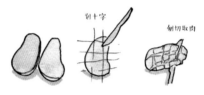

剧十字　　倒切取肉

食材

芒果	350g
椰浆	70g

提示

椰浆可用牛奶或酸奶代替。

2. 果肉冷冻1小时。

3. 把冷冻后的果肉和椰浆一起用搅拌机打匀即可。

果肉　　椰浆

吃不完的做成冰棒

木糠蛋糕

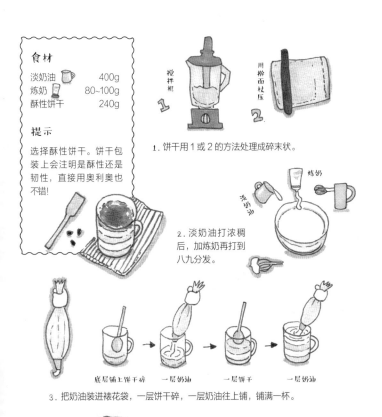

食材

淡奶油	400g
炼奶	80~100g
酥性饼干	240g

提示

选择酥性饼干。饼干包装上会注明是酥性还是韧性，直接用奥利奥也不错！

搅拌机

用擀面杖压

1. 饼干用1或2的方法处理成碎末状。

炼奶

淡奶油

2. 淡奶油打浓稠后，加炼奶再打到八九分发。

底层铺上饼干碎 → 一层奶油 → 一层饼干 → 一层奶油

3. 把奶油装进裱花袋，一层饼干碎，一层奶油往上铺，铺满一杯。

4. 入冰箱冷藏4个小时后食用。

提示：吃之前，还可以在表面撒一点可可粉。

~ 153 ~

第六章
粗糙食堂终极秘籍

155~172

1. 化腐朽为神奇的万用酱汁

夏日必备红油

葱油

切4瓣　切丝　切断

食材

香葱　　　　　　　　200g
植物油　　　　　　　650g
红葱头或红洋葱　　　200g

1. 食材都洗净，切好。红葱头切4块（洋葱就切丝），香葱切成小段，洗净晾干。

2. 冷锅下冷油，放入香葱和红葱头，用最小的火加热。可以不用管了，30分钟后来看情况，顺便翻动一下。

3. 大概再过10~20分钟，香葱被炸干，颜色开始变深，就可以关火了。

面条 + 酱油 + 葱油 = 葱油拌面

4. 把红葱头捞出来，单独放好，可以用来做卤肉饭。

5. 容器用热水消毒，擦干，倒入葱油，放凉后冷藏，可以保存1~2个月。

夏日必备红油

1. 将原料按照以下 4 步，用 4 个容器分装：

A. 大葱、姜、丁香、生青花椒、干红花椒、
八角、肉桂皮和草果

B. 干辣椒碎 25g
C. 干辣椒碎 62g
D. 干辣椒碎 63g、花椒粉

2. 将油放入锅中，中高火加热。插入一
根木筷子以测量油温，当筷子周围开始冒
泡，则代表油温已经达到了我们想要的
温度。将 A 组中的材料小心地倒入锅中，
翻炒 20 秒左右。

3. 加入 B 组中的材料继续翻炒 20
秒，能够闻到辣椒的香味散发出来。

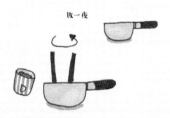

放一夜

4. 关火。在锅中加入 C 组中的食材，利用油的余热，继续搅拌30 秒。

5. 加入 D 组中的材料，仍然搅拌，至材料充分与红油融合。此时，油的颜色已经从最初的淡黄色变成了深红、宝石般的颜色。将熬好的红油在室温状态下放置一夜。

6. 第二天，用一个细密的筛子将油过滤，去掉杂质（如果你喜欢花椒的口感，也可以不这么做），然后用一个容器装好，密封保存。

拌面

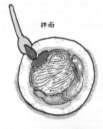

凉菜

蘸酱

夏天可以拌各种东西，
面条、凉皮、凉菜，
蘸酱来一勺，杠杠的！

番茄酱

食材

番茄	700g
（中偏大，4 个左右）	
柠檬	1 个
冰糖	80g
白砂糖	80g

1. 在番茄表面用刀划十字，用开水烫一下。

2. 烫完后，去皮，挖去绿色的蒂，除去里面的籽，切块。

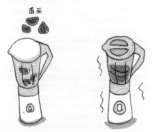

3. 切完的番茄用搅拌机打匀，如果没有搅拌机，就耐心把番茄切成超级无敌小丁丁。

4. 番茄泥倒入锅内，加冰糖。煮开后转小火熬，中途用锅铲持续搅拌，避免粘锅。

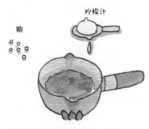

5. 煮至比较黏稠时，加白砂糖和柠檬汁，继续搅拌，煮3分钟。

6. 装番茄酱的玻璃瓶用开水烫一下再用。

自己做的番茄酱好吃喽！
用来做菜、当蘸酱都很棒！

无花果酱

食材

新鲜成熟无花果   500g
蜂蜜   80g
（可自行下调）
原蔗糖或者糖   50g
（可自行下调）
柠檬   1 只
盐   1/4 小勺
白兰地或朗姆酒   30ml
肉桂枝   1 根
（不是桂皮！）
姜   1 小块

提示

这个配方也同样适用于其他含水量略少，但有一定甜度的水果，比如红苹果、杏、李、樱桃、西梅等。

注

本食谱源于 @yuentien 的配方。

1. 无花果洗干净切块，喜欢大块果肉的，1 个无花果切 4 块就好。

2. 所有无花果放入容器中（直接放进锅里也可），加入糖、蜂蜜、盐、肉桂枝、酒，擦入一整个柠檬的皮屑，随后挤入所有柠檬汁，姜去皮擦成姜泥加入。

3. 稍稍搅拌，放置半个小时到 1 个小时。

~ 163 ~

4. 中小火加热至糖完全溶化，随后转中大火烧开。整个加热过程中，要始终注意搅拌，并用锅铲适度按压无花果，使果肉能充分受热。

5. 当液体开始变得黏稠时，夹出肉桂枝，继续大火加热。判断果酱是否完成，可取一常温小盘，滴一滴果酱，放入冷冻室，稍后取出，若变成啫哩状，即可盛出装瓶。注意装瓶时顶部留出1厘米左右空间。若想让果酱保存时间更久，请看以下步骤。

6. 将玻璃密封容器洗净，和瓶盖一起放入水中煮开，取出，用厨房纸吸干水。（因容器此时温度很高，残留水迹会迅速蒸发，注意烫手。）舀入果酱后，封盖，将容器倒置5分钟。随后以密封状态瓶口朝上放入沸水中继续煮5~8分钟，取出置凉后冷藏，可保存1个月。

自制甜酱油

食材

鲜酱油	500g
（推荐用味极鲜）	
水	500g
糖	160g
香油	适量

1. 把味极鲜、水、糖倒入锅中，边搅匀边煮开。

喜欢甜味酱油的千万不要错过，这个加到皮蛋拌豆腐里，味道简直绝了！

2. 煮开后加适量香油。

3. 自然放凉后，放冰箱冷藏储存。

2.粗糙"神器"，勤快一次，偷懒半年

百变鸡肉丸君

专属你的鱼饼

芋圆

百变鸡肉丸君

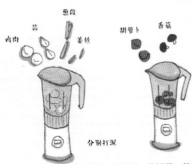

分别打泥

葱段
蒜
姜丝
鸡肉
胡萝卜 香菇

1. 鸡胸肉去掉筋膜，切块，蒜切碎，葱切段，姜切丝，放进搅拌机打成泥。胡萝卜和香菇切碎、打泥，和鸡肉分开打。

料酒
淀粉
香油
鸡蛋
盐
白胡椒

2. 在打好的胡萝卜香菇泥和鸡肉泥里加入鸡蛋，加入 A 组调料，充分搅拌均匀。

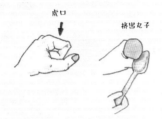

虎口
挤出丸子

3. 用手或者勺子把鸡肉泥做成丸子。（用手抓一团鸡肉泥，握紧，从虎口挤一个球出来，用勺子挖下来就是丸子了。）

食材

鸡胸肉	1块
胡萝卜	半根
香菇	2朵
鸡蛋	1个
香葱	1根
蒜	1瓣
姜	1片
（可不加）	

[A 组]

盐	1茶匙
香油	1勺
料酒	2勺
淀粉	1大勺
白胡椒粉	适量

提示

也有人用豆腐和鸡肉做，很滑嫩！和鸡肉搭配的食材可以根据自己的喜好改变，纯肉也是可以的！

▲ 用清水煮

冷冻保存

烧一锅热水，水开后，把丸子下到开水里。丸子浮起来之后再多煮一下，就可以捞出来了。可以现吃，可以用来煮汤，吃不完可以冷却之后放冰箱冷冻保存。

提示：煮好的丸子可以做茄汁鸡肉丸子。把番茄去皮切小丁丁，烧软加一小碗水煮烂，调味后加丸子收汁就可以啦！

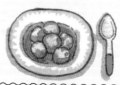

▲ 下油锅炸

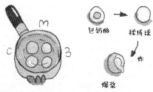

包奶酪 → 揉成球

炸

爆浆

锅内油烧至七成热，一样用虎口挤出丸子，丸子下油锅炸至金黄后捞出，可以复炸一次，更加外焦里嫩、香酥可口。

提示：这里可以做奶酪鸡肉丸，在做丸子的时候包入奶酪，炸。

▲ 进烤箱烤

把丸子放在锡纸上，烤箱预热至200℃，中层，上下火烤15分钟左右即可。根据烤箱脾气的不同，和你烤的丸子的量来调整时间，烤熟即可。

直接吃，或蘸你喜欢的酱料，都超好吃！

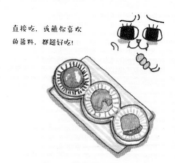

专属你的鱼饼

1. 龙利鱼切块，和鸡蛋一起用搅拌机打成泥，泥越细越好。姜、蒜也打成泥。（没有搅拌机用刀剁也行，一定要剁得很细，姜蒜也是。）

2. 鱼泥里加姜泥、蒜泥、料酒、盐、糖、白胡椒，朝着一个方向搅拌均匀（疯狂地搅），淀粉和面粉分3次加，保证搅拌好的鱼泥不会太湿就可以了。要搅久一点，你能感受到这堆泥的变化，相信我。（真挚的眼神）

食材

龙利鱼	600g
鸡蛋	1个
蒜	2瓣
姜	2片
料酒	1勺
干淀粉	2大勺
面粉	1大勺
糖	1勺
白胡椒	1茶匙
盐	适量

提示

用新鲜的鱼是最好的，刺少肉多的海鱼都可以，比如大米鱼、鲅鱼。如果买现成的冻鱼柳，龙利鱼、鲷鱼、鳕鱼都可以。

▲ 烤

烤箱预热至 160℃，烤盘里抹一点油，把鱼泥倒进去塑形，烤 30 分钟左右（实际时间根据你烤箱的脾气调整）。

提示：储存方式就是冷冻，像储存火锅料一样。煮辛拉面啊，火锅啊，韩式炒年糕啊，炒菜啦，煮汤啦，都可以用，像火锅料的使用方式，你懂的。听说加就鱼进去做会特Q！大家可以自己试试！

▲ 蒸

把鱼泥做成你喜欢的形状（方形或者椭圆形），就像玩橡皮泥一样，能做个造型就牛了。锅里的水烧开后，放进去蒸 20 分钟。

▲ 煎

把鱼泥做成一堆你喜欢的饼状，圆形啦，桃心啦，方块啦，不要太厚，油锅烧热后放进去煎至两面金黄即可。

▲ 炸

把鱼泥揉成丸子或者条状物，有点厚度的，下油锅炸，炸到呈金黄色并浮在油上即可以。

芋圆

食材

食材	
红薯	250g
紫薯	250g
芋头	250g
木薯粉	300g
糖	25g
玉米淀粉	适量

提示

300g 木薯粉分 3 份，每份 100g，也可以用红薯粉和土豆淀粉，以 1.5:1 的比例替代。糖的分量可依个人口味增减，红薯甜的话可以不加。

1. 把红薯、紫薯和芋头煮熟后，去皮捣成泥。（这步趁热加糖，拌至溶化。）

糖

开水　拌成团

红薯泥

木薯团

 红薯团 干一点

紫薯团 湿一点

芋头团 正常

2. 先把木薯粉用开水拌成团，再加泥揉成团（分 3 次做）。3 种木薯团的干湿程度如左图。

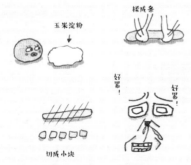

玉米淀粉

揉成条

好累!

好累!

切成小块

3. 揉成团后，在玉米淀粉里揉到不粘，再搓成条，切小块。（这步做完，只觉得累！）

累

4. 锅内水煮开后丢圆子，煮2~3分钟，浮起后，捞到冷水里就QQ啦！

好吃!